KB103769

마리아께 경배를

발 행 | 2024년 5월 29일
저 자 | 이종필
펴낸이 | 한건희
펴낸곳 | 주식회사 부크크
출판사등록 | 2014.07.15.(제2014-16호)
주 소 | 서울특별시 금천구 가산디지털1로 119 SK트윈타워 A동 305호
전 화 | 1670-8316
이메일 | info@bookk.co.kr

ISBN | 979-11-410-8727-2

www.bookk.co.kr

서사시 **마리아께 경배를**

이종필 지음

마리아께 경배를 3

목차

등장인물

은희(恩姬) : 정신과 전문의. 30대 중반의 여성으로 남자간호사인 남편과 결혼해 쌍둥이를 낳아 휴직한다. 얼마 전 교통사고로 남편과 두 아이를 잃었다. 가족을 잃은 후 연이어 친정아버지가 손주들을 잃은 슬픔에 자살하시고, 얼마 안 있어 친정어머니도 손주들과 남편을 잃은 충격에 심장마비로 돌아가셨다. 독실한 가톨릭 신자.

지희(知姬) : 신경외과 전문의. 30대 초반의 유능한 외과의사로 비혼주의자다. 물질주의자이자 무신론자로 신앙심이 깊은 다른 자매들을 이해 못한다. 강남의 건물을 사기 위해 영끌을 하여 투자했을 뿐만 아니라 비트코인과 해외선물에도 투자했다.
결국 수 백 억의 빚을 지었고, 하루 이자만 해도 수백 만원의 금액을 갚아야 하는 처지가 되었다. 파산자이자 신용불량자로써 경제적으로 사형선고가 내려진 상태.

연희(緣姬) : 20대 중반으로 대학교를 졸업하여 언니들과는 다르게 현재 피아니스트. 사랑하는 사람이 생겨 그의 아이까지 배었으나 그의 배신으로 실연을 당하고, 아이는 낙태한 상태다. 독실한 가톨릭 신자로 낙태에 대한 회의와 아이에 대한 죄책감으로 정신병에 걸려 언니 은희에게 치료 받는 중이다.

미희(美姬) : 네 자매 전부 미인들이지만 특히 막내 미희는 네 자매 중 가장 특출 난 미모를 가졌다. 그것 때문인지 고등학교 2학년인 그녀는 자신보다 외모가 못난 아이들에게 질 투심에 의해 반에서 왕따를 당하고 있다. 남성들에게 보호 받고 있는 상태지만 같은 여자들에게는 시기와 미움의 대상이다. 가장 마음이 여려서 언니들의 불행에 제일 공감하여 이 암울한 계획에 동참한다. 언니들과는 다르게 개신교 신자다.

중고가전매매기사들.

제약회사 직원 : 자주 외과의상 약을 거래하면서 지희를 짝사랑하고 있다.

아바돈.
아스타토르.
그 외의 악마들.
천사소녀.
성모 마리아.
마음의 영원한 빛.

제1부

최후의 잔치가 시작된다.
이제 하루 밤이 지나면
하나님의 나라로 갈 네 명의 여성들이
오늘 밤 마지막 연회를 준비하네.
저택의 벚꽃 나무에는
펄럭이는 눈처럼 벚꽃이
그녀들의 마지막 날을 손짓하며 축복하네.
새롭게 들어갈 세상에 대한 축복일까?
아니면 마지막 이승의 날,
슬픔의 강을 건너기 전
벚꽃의 위로일까?
"오늘은 무엇을 해먹을까?"
맏언니 은희의 질문에 세 자매는
그 옛날 어머니의 품속에서
같이 놀았던 그 자세로
서로들 끌어안고는
다이어트다 몸매관리다

세상의 사람들이 자신들을
쳐다보는 코르셋을
벗어던지고,
모든 시름을 잊은 채,
상상력을 발휘하여 먹고 싶은 것을
생각해 낸다.
아직 밤까지는 많은 시간이 남았다.
질소가스통을 배달해줄
지희의 제약회사 지인직원이 오기까지
열 시간 이상 남았어.
그 동안 자매들은 먹고 싶을 것을
주문할 것은 주문하고,
요리할 것은 요리하며
마지막 만찬을 만들 준비를 한다.
하지만 제일 먹고 싶은 건
어머니가 해주신 깻잎 해물전.
은희는 어머니의 솜씨를 따라하며
구슬 같은 눈물을 바람에 훔친다.
두 돌이 다 된 아이들이
자신이 해준 깻잎 해물전을
인형 같은 손으로
오물오물 거리며 먹는 장면을
먼 심연의 슬픔에서 영사기에 비추듯
감상해냈기 때문이다.

은희는 자신의 가슴을 손으로 붙잡고,
얼마 안 있으면 다시 아이들이
자신의 가슴에 얼굴을 파묻고,
어리광을 부릴 수 있다는 희망에
옅은 미소를 지으며
어머니가 자주해주시는
깻잎 해물전을 부친다.
지희는 마지막 만찬으로
달콤한 치즈케이크와 딸기 생크림 케이크를
먹고 싶어 한다.
먼 기억 속에 언니와 먹었던
깻잎전도 맛있지만
기억의 망각 속에서
달콤하면서도 느끼했던
그 기억속의 케이크도 먹고 싶었다.
특별히 그건 마가린과 버터가 섞인 맛이었으리라.
기억은 추억을 낳고,
추억은 씁쓸한 시간의 노예.
달콤했던 그녀의 기억은
어머니가 생일날
지희에게 특별히 차려준
그 달콤하고, 느끼했던 케이크를
시간의 요정 속
틈바구니 속에서 선명하게 기억나게 해준다.

직접 할 수가 없어
겨우 겨우 일주일 전에 그 제과점에 주문했고,
오늘 아침에 도착했다.
혹시 몰라 투썸 플레이스에서
여성들이 제일 좋아하는
과일 생크림케이크도 주문했다.
어머니의 향기가 배어있는 언니의
깻잎 해물전과 함께
추억의 버터크림 케이크를
준비하는 지희는
서양의 어느 백작 아가씨처럼
맛 좋은 모스카토 화이트 와인도 몇 병 사놓았다.
물론 그녀가 생각하기에
무(無)로 되돌아가기 전
위스키와 브랜디를 실컷 마실 생각이지만
자매들의 마지막 만찬에는
화이트 빛 영롱한 와인이 어울릴 거 같다.
연희 역시 어머니의 깻잎전도 제일 먹고 싶었지만
깔끔하고, 단아한 아가씨는
연어회와 오징어회, 초밥을 제일 먹고 싶어 한다.
오후부터 저녁까지.
뷔페로 차려질 이 마지막 만찬에
연희는 자신이 좋아하는 일식을
마음껏 먹을 작정이다.

하나님의 나라.
죄를 지어 연옥에 갈지도 모르지만
언니들과 여동생이 사람들의 눈물을 흘리게 하고,
살인을 한 죄과는 없으리라.
오직 자신만이 살인을 했다.
애꿎은 생명, 애꿎은 태중의 푸른 새싹.
그 새싹을 피어나게 하지도 못하고,
탯줄의 그 가지를 잘랐으니
유황불 연못에 빠져 고통을 겪을 각오는 돼 있다.
다만 그 아이에게
젖 하나 못 물려 본 게
눈시울 흘릴 정도로
서러운 감정의 싹을 틔우게 한다.
가끔씩 상상을 하곤 한다.
새벽별이 살포시 내려앉은 고요한 새벽.
내 팔에 아이의 머리를 배고,
비록 원치 않은 생명이나
내 배속에서 나온 그 아이를
내 젖을 물리며 적어도
젖을 뗀 후에 고아원에 맡기더라도
그 아이의 생명을 보존했더라면.
지금은 후회의 강을 건넜지만
그래! 언니들은 말렸다.
생명의 강에서 생명의 물줄기를 메말리는 짓을

결국 그건 의미 없고, 마음이 아픈 짓이란 것을.
특히나 큰 언니 은희는
상냥한 미소까지 지으며 말했지.
자신도 두 아이를 잃어
슬픔의 강에서 두 눈 시뻘겋게 통곡하는 어미인대도.
어미라서 뱃속의 아이에 대해 잘 알까?
마리아께 은총을 빌어보아도
돌아오는 대답 없어
서슬 퍼런 그 달콤한 유혹적인 생각에
자신의 이성과 영혼이 한 때 넘어갔던 것을.
비록 언니라고 불리는
그 어느 사이트,
그 마귀 같은 여자들의 달콤한 속삭임에
자신의 이성과 영혼이 한 때 넘어갔던 것을.
뱃속에 생명이라는 것은 없는
그 생각에.
그런 짓을 저질렀지.
마리아께 은총을 빌어보아도
돌아오는 대답은 책망과 허무한 말이었다.
연희는 아직도 젖이 불린 채로
세상 밖 가만히 미소 지으며
마지막 만찬을 먹고,
아이에게 사죄하러 갈 참이다.
미희 역시 어머니가 해주신

깻잎 해물전을 먹은 적이 있지만
철부지 막내라서 오히려
떡볶이, 순대, 후라이드 치킨 같은
정크푸드를 더 좋아한다.
언니들 따라 저 먼 곳으로 향하기전
자신이 미움 받고,
시샘을 받은 최근의 기억이 떠오른다.
네 자매 중 제일 예쁘다는 소리를 들었다.
학교에서도 학교의 여신으로 통할만큼
남자들의 관심을 받았다.
미희는 적어도 외모가 예쁘다면
좋은 일은 생기지 않더라도
나쁜 일은 생기지 않으리라 생각했다.
아프로디테가 마르스와 불륜을 저지른 것처럼
미희의 삶은 분쟁이 끊이지 않았다.
아주 못생긴 여자들이 아니라
자신보다 꼭 한 체급 못생긴 여자들이
여왕벌이 되기 위해
미희를 깔보고, 조롱하고, 왕따를 시켰다.
하지만 미희의 외모만 보고,
자신이 왕자라고 생각하는 남자들이
미희의 보호자로 자처했다.
꽃들이 만개한 화원.
이슬을 머금은 분홍 장미 곁에 새빨간 해당화들이

여왕의 자리를 노리고,
장미덩굴의 여왕을 보호하는 가시들을
하나하나 부러뜨린다.
그 분홍 장미 곁에는 수많은 나비들이 모여든다.
그 중에는 배추흰나비, 제비나비 같은
꽃의 달콤한 꿀만 보고,
꽃의 단아한 영혼에는
애정이 없는 나비들도 모여든다.
분홍 장미는 흙빛으로 물들어지고,
생기 있는 영혼도 시들어간다.
오직 그녀의 언니들만 그녀를 위로할 뿐.
그 순수한 처녀는 조그마한 위로에
자신의 순결을 줄 뻔 했으나
마리아께 경배를!
손끝의 로자리오 백합의 기도로
그녀는 처녀성을 지키게 되었다.
그러나 괴롭힘과 시기(猜忌)는
계속 되리니
미희는 소녀시절이 끝나고,
완연한 여인의 물을 머금었을 때
더 큰 괴롭힘과 시기가 두렵기만 하다.
부모에게 사랑받던 소녀는
부모가 돌아가시고,
강인한 의지를 잃었으니

미래에 대한 두려움과
부모의 품이 그리워
다 자라나지 않는 분홍 장미임에도
그 스스로 지기를 원하네.
자아! 네 여성, 네 자매다
자신이 원하는 만찬을 얘기했으니
시간의 요정은 행복한 때를
기억하고, 잔치를 배설(排設)해놓아라.
이제 큰 언니의 지도아래
자매들은 즐거운
감정과 추억 속에서 요리를 한다.
배달할 것은 배달하고,
요리 할 수 있는 것은 요리하자.
특히 어머니가 해주시던
깻잎 해물전은 다른 사람은 요리하지 못하네.
태양이 조금씩 활기를 되찾고.
하얀 솜사탕 같은 구름을
하늘의 파란 거인이 다 먹어치웠는지
이제 조금 밖에 남지 않았다.
완연한 오전의 시간.
일몰까지 생의 마지막 잔치가 시작된다.
이미 배달 할 것은 다 배달되었고,
요리 할 것은 다 요리했다.
음식쓰레기가 남아있다면

남들에게 폐 끼치지 않게
사라지는 흔적을 다 정리하리라.
자매는 삶의 흔적을 정리하기 위해
일주일 전부터 제일 예쁜 속옷 한 벌과
제일 예쁜 겉옷 한 벌만을
남긴 채 모든 것을 다 팔았다.
침대와 소파, 조리도구, 냉장고,
마지막으로 읽고 갈 책들만 빼고.
TV, 컴퓨터, 스마트폰,
새탁기등은 전부다 팔았다.
사실 변변한 직업이 없었던
은희, 연희를 배놓고서는
자매 둘은 일주일전에 다니던
직장과 학교를 관두었다.
연희는 재녀(才女)로써
아폴론 신의 축복을 받아
재능의 샘이 마를 날 없이
독주도 탁월했는데
고요히 달빛이 출렁거리는
어느 살롱의 적막한 저녁.
그녀의 피아노 연주를 기다리는
수많은 추종자들이 있었으니
음반도 나름 발매하고,
소셜미디어에도 알려진

나름 유명인 이었다.
은희 또한 아이를 낳기 전까지는
마음속의 에메랄드 같이 빛나는
그 선한 마음씨를 가지고,
정신적으로 힘들어 하는
남들을 도왔는데
그녀들 또한 자기 욕심에
남자들을 물소로 보는
여자들 보다 더욱 능력 있었고,
마이더스의 축복을 받은 것처럼
황금의 재운(財運)도 타고났었다.
음식이 다 준비된 동시에
이제 주방가전들을
수거할 기사들이 오는구나.
"어디 이사 가시나요?"
전기 레인지와 냉장고등을 수거하는
중고가전매매기사들은
남은 가구라고는 식탁과 그릇,
의자밖에 없는 50평 넓은 집을 보고,
의아함에 묻는다.
오늘 이 자매들의 마지막 만찬이
펼쳐져 있으리라고는
그 누구도 상상하지 못하리.
"네에. 내일이면 좋은 곳으로 가요."

은희의 대답에 기사들은
부엌 식탁에 차려진
진수성찬들을 보고,
더욱 의아한 표정을 지으며
자신의 할 일을 묵묵히 한다.
이제 이 기사들이 주방가전까지 수거해가면
이 넓은 집에 남은 건
킹 사이즈의 침대와 넓은 식탁,
의자, 식기들 밖에 없구나.
욕실에도 세탁기와 건조기 같은 세탁가전들을
무료로 가난한 이들에게 나누어주었다.
남은 건 마지막으로
씻을 분량의 샴푸와 비누.
그리고 기본적으로 설치되어있는
수도와 바가지 같은 목욕시설뿐.
나중에 청소하시는 분들
수고스럽다고 자매들은
마지막 만찬을 먹은 다음
깨끗하고, 간결하게 티끌 하나
남기려고 하지 않으려고 했지만
세상사 인간은 자그마한 먼지하나라도
이 세상에 흔적을 남기고 간다.
마지막으로 누울 곳은
아버지와 어머니의 냄새가 배어있는

제일 큰 안방.
자신들을 젖 먹이던 어머니의 품이
그리워 몇 주 전
제일 큰 라지 킹사이즈의
침대를 안방에 설치해놓았다.
아직 질소가스가 오기까지
반나절이나 남았다.
조리가전들이 전부 사라진
휭 한 주방에서
자매들은 식탁의자에
다소곳이 앉아
만찬을 즐긴다.
물론 기본적으로는
이제 싱크대밖에 남지 않았지만
만찬을 다 즐긴 다음에는
그릇들과 남은 음식들까지
많이 준비해 온
재활용 봉투에 버리리라.
이제는 돌이킬 수 없는
옛 추억의 씁쓸함과
기쁘고, 슬펐던 그 기억들이
도화지속의 그림들 마냥
떠오르고,
자매들은 시간가는 줄

모르고, 추억을 달콤하게 노래한다.
한편으로는 이 축복받으면서도
저주스러운 나라의 미래도 노래한다.
한국 여성의 절반이
더 이상 사랑을 노래하지 않고,
자신의 이기심에 물들었음을.
한국 남성의 절반이
더 이상 책임을 받아들이지 않고,
여성을 조소하며 저주하는 것을.
사랑을 해본 은희는 말한다.
"기상관측을 한 이래로
한 번도 같은 날씨가
관측 되지 않는 만큼.
인간의 짧은 인생도
되풀이 되는 똑같은 삶을 산
사람이 없네.
장미꽃 화원에서도
장미들의 미색(美色)이
다다르고,
밤하늘에 영롱히 떠오르는 달의
그 고요하고, 창백한 달빛도
다다르게 땅에 스며드는 만큼.
신의 공정함으로
자신의 이기심을 채우려고 하는 자는

결국 호된 채찍질을 당하고,
지금 당장 달콤한 행복을 맛보았으나
신은 쓴 와인 잔을 내려주신다.
나의 소소하고, 달콤한 기억과 사랑들.
이제 쓰디쓴 와인 잔이 되어
돌아왔으니
여자가 남자를 이용하고,
남자가 여자를 이용하는
사랑 없는 연애는 결국 자신을
파멸로 이끈다.
나. 남편과 아이들을 정말 사랑했으니
적어도 행복의 편린 그 기억만큼은
내 가슴속에 남는다.
아이들의 웃었던 모습.
아이들이 내 가슴을 만졌던
그 손의 온기를
적어도 나는 진정한 사랑을 알고,
느끼며 살았다는 것에 감사하네.
여자가 남자를 이용하고,
남자가 여자를 이용하는
절반의 사람들에게는
내가 느끼는 진정한 사랑이 뭔지 모르고,
불안과 불만족속에서
죽을 때까지 살아가리라.

그게 신이 내린 공정함이리라."
은희의 말에 연희가 대답한다.
"여성의 진정한 사랑에 대해
의심하는 남자들이 많지만
아직 전체 절반의 여성들 가슴속에는
소녀적 품은 그 순수함이
남아있을지도 몰라.
사랑은 열정적으로
끓어오르는 화마일지 모르나
또한 서서히 서로에게
온기를 나누어주는
불씨일지도 몰라.
대다수의 여성들이 남성을 물질로 보고,
자신만 아는,......(불쌍하게도)
이기적으로 행동하더라도
아직 순수함을 간직한
소녀 같은 여인이 존재하지.
그건 남자들도 마찬가지라서
내가 사랑했던 남자는
책임감도 없었고,
돈도 잘 벌지 못했지.
다만. 내 피아노 소리를 옆에서 듣고는
천진난만하게 아무런 가식 없이
너무 듣기 좋다고,

눈물을 흘렸던
그 모습에 사랑에 빠졌지.
여자의 사랑이란 그런
사소한 것에서 시작될 수 있어.
그렇기에 서로 사랑을 했고,
그에게는 진실함이 없었지만
그래도 달콤한 야자수 같이
그의 혀에서 나오는
그 사랑은 너무 달콤했지.
사랑의 결과로 애정의 씨앗이 생겼지만
그 사내는 가정에 대한
압박감과 의무의 중압감을 못 이겨
말도 없이 떠나가고 말았네.
차라리 나에게 힘들다고
말이라도 해주었으면
아니면 작별 인사라도 해주었으면
이렇게나 원망하지 않았을 텐데.
사랑스러운 손길로 만졌던
내 얼굴 다시 보지 않고,
그는 모질게도 떠나갔네.
차라리 책임지기 싫다고,
나쁜 남자처럼 말하고 헤어졌다면
밉기라도 해서
원망하며 살았을 텐데

아무런 말도 없이
홀연히 사라져서
내 인생의 반쪽이 그냥 도려내진 듯하여
너무나 가슴이 쓰디쓴 듯 아파.
차라리 내 재산이라도 가져갔으면
그럴 정도로 미운 짓이라도 했으면
미워하며 기억이라도 할 텐데.
생명의 씨앗만 뿌리고,
그냥 내 인생에서 말끔하게 사라져 버렸어.
내 인생에서 완전히 지워지고 말았어."
지희는 언니와 여동생의 얘기를 듣고,
자신이 비혼인 이유를 말한다.
"신을 믿는 것은 아니지만
성경은 내가 잘 알고 있지.
말세에 갈수록 사랑이 없어진다는 얘기.
진정한 사랑이 없어지는 게 아니라
사랑 자체가 사라진다는 얘기.
난 연애는 좋아하지만
결혼제도라는 억압을 싫어하는 거야.
그건 여자도 결혼에 얽매어 있지만
남자도 역시 결혼에 얽매여 있어.
내가 싫어하는 말이
"여자니까. 여자니까."
이런 말인데 달리 생각해보면

여자는 왜 남자한테 보호를 받아야 하는 건가?
이런 의구심이야.
새들 중 수리들은
암컷이 수컷보다 덩치가 크고,
곤충들 중에는
암컷이 수컷보다 덩치가 크지.
인간은 힘으로 여자가 약하지만
여자가 남자보다 더 나은 부분도 있어.
비너스의 성질(性質)이
아폴론의 미학(美學)과 다른 것처럼
모든 것이 똑같을 수는 없으며
남자도 여자에게 어떤 면에서는
보호 받을 수 있어.
아! 당연한 이야기야!
여자가 남자한테 보호만 받는 다는 것은
여자는 하나의 인격체가 아니라
영원히 미성숙한 개체라는 소리며
여자도 남자를 보호 할 수 있는 존재야.
그렇기에 남자와 여자를 딱 그런 역할로
규정지은 결혼이라는 제도를 난 싫어하지.
부모님이 살아계실 때
부모님 친구 분이셨던
우리 소꿉친구인
성국이의 부모님이 생각나.

옛날의 노래를 부르자면
옛날 백열전등 하나로
어두운 집과 어두운 영혼까지 밝혀야
했던 시절.
남녀의 사랑은 사치스러운 거라
부모님 소개로 서로 얼굴만
한 번씩 슬쩍 쳐다보면
그 다음날 신부는
아이 같은 고운 꼬까신 신고,
신랑 집에 가서 정화수 하나 달랑
떠놓고 서로의 영원한 언약
맹세했다네.
신랑 집에 가서 정화수 하나 달랑
그것이 사랑의 증표였지.
정화수 하나 달랑.
한 해 두 해 아이 낳아
이제야 살을 맞대는 감정
알아가지만
서로 연애하던 일 없이
의무와 규범에 얽매여 살았지.
그래도 서방님 이제 늙어
침상에 누워 북망산(北邙山) 기다려도
똥오줌 받아내며
이렇게 지극정성 간호할 수 있는 것은

그 사랑의 그득함이
과거가 현재보다 더욱 진한 건 아닐까?
요새 로미오와 줄리엣보다 더 강하게
끌리며 연애했어도
서방님 이제 병들어
침상에 누워 북망산 기다려도
똥오줌 받아내며
지극히 간호할 아내는 사라지네.
오히려 남편 버려두고, 새 둥지 피리니
남편은 피눈물 흘리며 서로 엉겨 붙은
두 칡넝쿨을 쳐다보네."
미희는 언니의 얘기에 학교를 다닐 때
자신과 자보려고 별 달콤한 얘기를 했던
남자아이들을 떠올린다.
네 자매 중 가장 아름다운 미희를 은희가 보며
자신들과 운명을 같이 할 도리는 없다 말하지만
미희는 자매는 함께 있어야 한다고 말한다.
"같이 목욕을 하고 난 뒤
하얀색 원피스 하나 걸치고
나온 언니들 모습 너무 예뻤어.
나를 귀여워하며
넌 특별히 하늘색 원피스를 입는 게
더 예쁘다고 말하지만
나도 언니들과 같은 하얀색 원피스를

입고 싶었어.
한 배에 나온 서로 다른 몸이지만
같은 콩깍지. 같은 자궁.
어머니 뱃속에서 태어난 우리는
서로가 서로에게 연결된
영혼의 탯줄을 가지고 있는 거 같아.
언젠가
내가 아파하면 큰 언니는
나를 껴안고,
어머니와 같은 향기로 위로해주었지.
언니들이 다 떠나고,
내가 홀로 남는다고 해도
아마 얼마 안 있어
언니들을 따라 갈 거야.
그땐 더 고통스러운 방법으로
언니들을 따라 갈지도 몰라.
뼈가 산산이 부서지고,
살 속의 피가 흩뿌려지는
내가 감내할 수 없는 고통일지 몰라.
지금 이 순간만
관계의 고통을 참으면 된다지만
내 미모를 질투하는
여성들은 계속 생겨나
나를 두고두고 괴롭히겠지.

나에게 관심 있는 남자들이 말하길
나보고 강해지라고 해도
나보고 초연해지라고 해도
언니들이 없다면
난 누구에게 그 방법을 배워야 하고,
누가 날 위로해줄 수 있지?
언니들이 없는 미래는
가슴속에 빛 하나 없는 어둠만이
지배하는 세계.
그 세계에서 홀로 살아가기에는
불가능하네."
자매들은 서로의 입장을 얘기하고는
계속 마지막 만찬을 즐긴다.
달콤한 케이크부터 치킨, 와인, 떡볶이
오마카세용 초밥이나 회부터
과거의 향수가 스며있는 깻잎 해물전,
오징어순대, 갈비에 스테이크,
홍합짬뽕에 자장면까지.
한식, 일식, 중식, 양식.
이 모든 걸 오늘 다 먹는다.
아마. 자매들은 이 산해진미(山海珍味)를
저녁때까지 천천히 먹으며
다 소화시킬 때까지
남김없이 먹겠다고 다짐한다.

오늘이 아니면 내일은 없기에.
절박하고, 또 절박하여
이 날을 위해 며칠을 물만 마시며 버렸으며
또한 여자의 입장이라는 가식을 벗어던지고,
몸매 같은 것에 신경 쓰지 않은 채
오늘만은 마음껏 먹고,
마시리라 다짐했다.
정신없이 먹고, 마시는 와중에도
자매들 간의 추억을 서로 얘기한다.
연희가 말한다.
"이 50평 집의 할부금을
갚는데 고생이 많았지.
누구는 편하게 자기 남편을
도축하면 된다하지만
은희 언니와 지희 언니는
자신이 번 돈을 보태며
이 집의 할부금을 다 갚고 말았어.
우리들을 위해서."
"아. 내 남편과 결혼했을 때."
은희는 자신의 결혼에 대해 회상한다.
"보통은 남자가 사회적 지위가 더 높고,
여자가 낮은 경우가 대부분이야.
이런 시가 떠오르는데.
잠자는 숲 속의 미녀는

마녀의 요술에 걸려
나약하게 아무것도 못하는
힘없는 여자.
사악한 마녀는 용으로 변신해
그녀를 구하려고 하는 자마다
포기하게 만드는 강한 존재.
잠자는 숲속의 미녀,
그 입술에 키스하는 남자는
그런 광포한 용을 무찌른 용사.
그렇기에 힘없는 여자는
그 남자의 가슴에
자신의 사랑이 담긴 장미꽃을
꽂아주지.
내가 사랑했던 사람은
나보다 돈도 없고, 지위가
낮은 볼품없는 왕자였지만
난 잠자는 숲속의 미녀가 아니기에
그의 자그마한 진정한 사랑
하나만으로도
행복한 결혼을 꿈꿀 수 있는 거야."
"자그마한 진정한 사랑?"
미희의 물음에 은희는 웃으며 대답한다.
"여자가 가난할 때
백마 탄 왕자를 꿈꾸며

자신의 처지를 구해주길 바라지.
자신이 구해질 공주인지
그 조건이 되는지
자세히 알아보지 못하면서.
그의 사랑은 자그마한 불꽃같은 것.
내가 근심걱정의 강에서
손놓고, 멀리 바라보고 있을 때
달콤한 커피를 가져다주며
내게 따뜻한 위로의 말을 건넸지.
그의 사랑은 꺼지지 않는 불씨 같은 것.
비록 비싼 밥 한 끼 제대로
사주지 못하더라도
내가 앉을 의자를 손수건으로 닦아주고,
내 옷에 튄 국물을 손수건으로 닦아주며
나를 진정 아끼려 한다는 걸
느끼게 해주네.
사랑을 받는다는 것은
돈을 많이 씀으로써 느끼는 게 아니라
이런 작은 배려 하나하나가
모여 그가 진정 나를 사랑한다는 것을
느끼는 거야.
그렇기에 그의 사랑에 보답하여
그가 돈 없고, 별 볼일 없어 보이는
왕자라도 난 나약한 공주가 아니기에

결혼할 수 있었던 거야.
그이는 우리 신혼집을 더 크게
살망정 너희들이 더 급하다며
친정의 집에 더 신경 쓰게 됐어."
"역시 착한 분이셨어."
지희와 은희를 뺀 자매들이 소리친다.
악독한 악녀들이라면 좋은 물소라고
속으로 비웃겠지만
천성이 착한 세 자매는
남편과 형부를 착하다고 말한다.
본성이 악한 여자라면
처가에 신경 쓰는 그 남자의 이유 따위
들어주지도 않고,
그냥 좋은 물소라고
하늘에 대고 비웃겠지만
착한 연희가 대답한다.
"언니가 시어머님을 잘 모셔서 그렇잖아.
형부는 아버지가 돌아가시고,
홀어머니 밑에서 컸지.
그러고 보니 언니 시어머니도."
불행은 도미노처럼
그녀의 운명을 휩쓸고 간다.
비록 배 아파 낳은 딸이 아닌
딸보다 못한 며느리지만

은희의 시어머니는
그녀를 진정 딸처럼 대했다.
하지만 아들이 죽고, 손주들이 죽자
슬픔의 강에 투신한
은희의 어머니처럼
시어머니는 은희에게 모든 재산을 남긴 채.
방문을 걸어 잠그고,
아사(餓死)의 길을 선택했다.
은희는 양쪽 어머니가 돌아가신 것을 보고,
삶의 희망 따위는 이미 놓아버렸다.
그런데도 이 모진 목숨.
지금까지 유지했던 것은
자매들 때문이었으니
자매들 모두 천국으로 가는 길을
선택했을 때
은희 또한 이승에 대한 미련 없이
자매와 함께 그 길로 가기로 했다.
"그래. 비록 지금은 난 파산했지만
난 부모님 집만은 크길 바랬지."
은희의 대한 이야기가 끝나자
지희도 돈을 보탠 이유를 얘기한다.
아테나의 지성의 빛을 이어받은 여인.
사랑이라는 것을
부정하는 것은 아니지만

감성에 몸을 맡겨 신세를 망치지 않는다.
지희 역시 자못 아름다운 외모지만
크고, 맑은 수정 호수 같은
깊은 눈망울에
차가운 눈빛, 얼음공주 다운
인상을 지닌 도시여자였다.
몸까지 준 것은 아니지만
지희 역시 사랑이라는 것을 해보았고,
남자라는 것이
여성의 미모와 생식력에
지배되는 동물이라는 것을
알았을 때
엄청난 실망감에 빠졌다.
자신이 존경했던 교수도
자신이 편안해했던 남자선배도
자신과 스스럼없이
이야기를 텄던 남 사친도.
젊은 암컷의 살내임과
아찔한 육체의 정욕 앞에
어쩔 수 없는 수컷이었던 것을
깨달으며 삶의 욕망을 깨닫는다.
그것이 생명의 원리이자
여자로써의 숙명임을 지희는
차가운 지성의 빛으로 어렴풋이

자신의 뇌리에 스케치해간다.
"부모님이 나를 특별히
사랑하신 건 아니지만
보은을 하고 싶었어.
성인이 되어 의사가 되기까지
모든 희생을 해주신
부모님에게.
내 주위에 철없는 기생충 같은
여자들은 아버지가
은퇴하실 때까지
자신을 먹여 살리기 바라지.
자신이 진짜 공주인 것처럼.
공주의 삶이 진정 어떤지
제대로 역사 공부도 안 해본 년들이
자신이 공주라고 생각하지."
"공주의 삶?"
미희가 묻자, 지희는 하나하나 얘기 한다.
"공주가 화원의 장미꽃처럼
항상 보살핌 받고,
사람을 부리는
고귀한 존재인 줄 아는데
한국인이니 조선의 공주들.
그 공주들의 삶을 봐봐.
경혜공주.

정명공주.
정선공주.
휘숙옹주.
현숙옹주.
효명옹주.
숙정공주.
의순공주.
화안옹주.
화순옹주.
덕혜옹주.
숙선옹주.
이 들이 어떤 운명을 맞이했는지
너희들이 찾아봐야 할 거야.
화려한 디즈니 공주의 삶은
그 어디에도 없어.
실제 역사속의 공주들은
불행한 씨앗을 가슴에 품고,
한 많은 눈물을 토해내며
죽음의 길로 들어섰다는 것.
보이는 화려함 이면에는
가련한 운명이
그녀들을 기다리고 있지.
공주의 삶이란 그렇게
가련하고, 속박 받는 삶인데

내가 공주 같은 여자들처럼
살겠어?
아버지와 좋은 추억이 많았고,
그 정을 양분으로 먹으며
선인(善人)의 길을 걷지 않았지만
비뚤어지지 않고,
정도(正道)의 길을 걸었지.
그렇게 아버지를 항상 존경했어.
그 년들처럼 아버지를 벗겨 먹고,
자기 남편, 자기 양심까지 벗겨먹기 싫어
아버지의 은혜를 보답하려고 했지.
비록 부모자식간이지만
난 공주가 아닌
지희라는 여자이기에
부모님 집이 잘 되는 것을
내 힘!
그 스스로 일으키려고 했어."
"미안해. 돕지 못해서.
난 음악을 해서 돈이 많이 들었지.
부모님 피를 빨아먹은 거 같았고."
연희는 지희의 얘기를 듣고, 난감해하자
지희는 고개를 흔들며 대답한다.
"언니는 사교적이고, 논리적이고.
난 지적이고, 논리적이네.

내 피붙이, 내 작은 콩깍지
내 동생은 뮤즈의 힘을 이어받은
감성적이고, 창의적인 아이지.
네 자매 모두
논리적이었다면
서로 얘기하고, 서로 관심을 갖는 게
숨이 탁탁 막힌
생활의 답답함만이 계속 되었을 테지.
감성과 이성
빙원과 화원
서로 다른 두 성질이
싸우면서도 화해하여
다양한 실의 잣대로
이야기를 엮어나가는 거야.
내 피붙이, 내 작은 콩깍지.
두려워하지 말고, 걱정도 하지마라.
뮤즈의 힘을 이어받은
내 작은 분신이여
나의 또 다른 성질이
내 온 몸을 감싸 안은 거 같네.
서로 싸우면서도 그리워하는 내 작은 콩깍지.
내 작은 분신이여."
"맞아. 언니는 빙원의 여인이지만
난 아니야. 미희도.

맞아. 미희는 그림을 잘 그려."
연희의 말에 지희는 계속 얘기한다.
"그렇기에 꽃망울 아직 여물지 않는
내 작은 콩깍지에게
재물을 벌어오라고
시킬 수 없는 노릇이야.
난 이미 완연한 숙녀.
제 앞가림 할 수 있는
성숙한 꽃.
언니와 나는 성숙한 꽃이기에
달콤한 꿀을 만들 수 있고,
재물을 벌어올 수 있는 거야.
이 십대도 못 벗어난
겨우 뮤즈의 재능을 만개한
내 작은 콩깍지에게
앞으로 받을 빚은
언니에 대한 존경과
비뚤어지지 않았으면 하는
바른 마음뿐.
나와 은희 언니는 마땅히
언니로써의 의무를 다한 거야."
지희의 얘기에 연희와 미희는
아무 말도 하지 못한다.
이제 해는 중천에서 넘어가고,

음식은 조금씩 없어진다.
하지만 언제 먹을지 장담 못하는 만찬.
이번만은 돈 있는 대로 마음껏 장만했다.
배가 부르면 소화제를 먹어가며
위가 더부룩하면
위 세척제를 먹어가며
이 많은 음식을 다 먹으리라 다짐한다.
은희와 연희는 마지막으로
성자(聖子)를 공양하러
성당에 가고 싶어 하지만
이곳에서 기도를 올리며
지희만은 하나님을 믿기 바란다.
"마리아께 경배를.
그 뱃속에 성스러운 아들 있어
온 세상을 구원하셨네.
비록 내 눈물을 씻기지 못하였으나
세상의 죄 대신 짊어지셨으니
많은 죄인들 살리 사
성자를 품은 그 복중의 태.
마리아께 경배를.
하늘의 여왕이여.
내 눈물도 씻기면 좋겠지만
그보다 세상 구원하셨으니
내 개인적인 슬픔과 눈물은

아주 덧없는 먼지에 불과하리라.
비록 이 몸들
이제 흙으로 돌아간다 하더라도
마리아께 경배를.
더 큰 우주의 질서가 있어
지옥에 떨어지지 않고,
연옥에 가게 된다면
이 세상의 끝을 보고 싶어라.
하늘의 여왕이여.
은혜로운 여자로다.
저희들의 영혼을 받으소서."
은희와 연희가 찬송을 부르자
지희는 힐난하며 찬양을 거부하고,
미희는 같은 기독교지만
개신교인이기 때문에
성모송은 부르지 않는다.
"난 신을 믿지 않아.
죽어서 무가 된다고는 보지 않지만
어차피 윤회를 거쳐
새롭게 태어난다면
지금 껍질은 무가 되는 게 맞지.
신을 믿지 않는 건
악한 연놈에게도
회개의 기회를 준다는 거야."

지희는 그 말을 하면서
매몰찬 어조로 다음과 같이 말한다.
"성별을 바꿔서 생각해봐도 좋아.
어느 순결한 여인이 있었지.
사랑하는 남자는 나쁜 남자라
몸도 주고, 돈을 주었지만
결국 그 여자를 사창가로 팔아넘겼네.
사창가에 팔려서도
그 남자를 위해 몸을 팔아
돈을 마련하지만
그 남자는 도박과 술에
그녀가 벌어온 돈을 전부 쓰고 말지.
여자는 모르는 남자의 아이를 갖고,
아이에게 젖도 물리지 못한 채
포주의 강요에 의해
아이를 낙태당하지.
비록 짧은 인연의 만남이라지만
자식을 잃은 슬픔 너무 커
여자는 서서히 미쳐가네.
남자로 바꿔 말해볼까?
어느 순정을 지닌 남자가 있어
나쁜 여자를 사랑하게 되었네.
그 여자는 해외여행에 명품에
남자의 돈을 쏙쏙 빨아먹기만 하네.

이미 받아먹기에 너무 익숙한 정신.
결국 남자는 자신의 장기까지
팔아가며 그 여자가 해주는 건 다해주네.
그러다 다른 남자의 씨를 받는
자신의 여자를 보게 되었지.
그래도 사랑하기에 용서하는 남자의 사랑.
결국 여자에게 실컷 이용당한 남자는
거리의 쓸쓸한 해골이 되어
이름 없는 묘지에 묻히게 되었네.
성부가 있고, 성자가 있고, 마리아님이 있다면
이런 연놈들의 결말은
피가 튀기고, 불에 온 몸이 탈 정도로
고통스럽고, 살이 찢기고, 찢긴
결말이 기다리고 있어야 해.
인간의 법으로 그 연놈들을 심판 못한다면.
하늘의 법은 그 연놈들을
지옥 밑바닥
단테의 신곡에서 나온 대로
사탄의 아가리에 그 영혼의 몸뚱이를
갈가리 찢겨야 되지 않아?
그런데 현실은 어떻지?"
지희의 얘기에 미희는 자신들의 인스타그램에
행복한 가족들의 모습만 있다는 걸 깨닫는다.
저렇게 남을 이용하지 않는

이 착한 가족,
자매들에게 왜 이런 불행이 닥치고,
왜 자매들은 저승으로 가야 하는지
억울한 마음이 들어 얘기한다.
"남들의 인스타그램을 보면
모두 화려하고, 행복한 모습만 보이네.
고급 일식집 가서 오마카세를 즐기는 모습.
해외에서 친구와 추억을 쌓는 모습.
고급 외제차를 운전하며 웃는 모습.
모두 화려하고, 행복한 모습만 보이네.
우리 집 인스타그램을 보면
어머니와 언니들이 요리하며 먹는 모습.
아버지와 언니들이 조촐한 안주에
술을 마시는 모습.
언니들과 내가 동네 뒷산에서
햇볕을 쬐는 모습이 보이네.
노곤한 일상의 풍경.
화려함이란 것은 없는 일상의 풍경.
착하게 사는데도
하늘의 복은 받지 못하니
그런 화려함은
한낱 꿈에 불과하여라."
"그 여자들은 가족과 즐겁게
지낸 사진이 있니?

온통 고양이하고
단 둘이 있는 모습 밖에 없어.
그 외제차 타는 남자는
가족과 웃으며 찍은 사진이 있니?
외제차 사진 밖에 없어.
적어도 우리 자매는 서로 부둥켜안으며
서로 싸운 적이 없잖아.
싸웠더라도 금방 금방 풀었지."
은희의 얘기에 미희는 고개를 끄덕인다.
"언니는 시집을 갔어도
친정에 일주일 두 번은 꼭 왔었지.
조카들 데리고."
"그래. 아기들 좀 돌봐 달라고.
그게 어머니께 효도일지 모르지만."
미희는 연희의 물음에
상념의 깊은 나락에 빠진다.
또 다시 어여쁘고,
가냘픈 아이들 모습 떠올라
마음속의 깊은 슬픔
숨길 수 없기 때문이다.
"언니나 네가 말한 신이 있다면
왜 오빠와 아이들을
먼저 데리고 가는지.
왜 착하게 사는 부모님들을

먼저 데리고 가는지.
진짜 심판이라는 게 있다면
내가 말한 그 망할 연놈들이
어떤 죄과를 치루는지
알고 싶어.
아니. 두 눈으로 똑똑히 보고 싶어."
지희 역시 은희의 슬픔에 동조하는지
무신론자지만 신의 당위성에
의문을 갖는다.
"마리아여! 마리아여!
말을 하시오.
언제까지 죄인들을 용서해야 하는지.
마리아여! 마리아여!
언제까지 착한 사람은
고통을 받아야하는지.
그래서 난 당신들을 믿을 수 없다는 것을!
동양 속담의 사필귀정(事必歸正)
인과응보에 대해 난 부정적이오!
말해보시오! 말해보시오!!"
지희의 버럭 같은 고함에 연희는 눈물을 흘린다.
"언니나 너나 미희는 몰라도 난 죄인이야.
한 생명을 뱃속에서 죽였으니까."
"그때. 연희 언니는 우리들에게
고민을 털어놓지 않았어.

그 슬픔이 배인 파란 낯빛의 미소를
우리에게 보이면서도
마음의 응어린 실타래 하나
우리에게 풀어헤치지 못했지."
미희의 얘기에 연희는 어째서 언니들에게
자신의 고민을 털어놓지 못했는지
이야기를 시작한다.
"사람을 믿는 다는 것은
자그마한 일부터 시작되는 것.
그 나쁜 남자와
사랑을 나누었을 때는
아무런 진실을 모른 채
세상의 모든 것들이 좋아 보였네.
새 생명이 생기고,
그이에게 말하려고 했으나
그이는 아무 말 없이
멀리 떠나버리고,
난 홀로 남아 뱃속의 새 생명을
홀로 돌봐야했네."
"그때라도 우리에게 말했으면."
지희의 얘기에 연희는 후회의 표정을 짓는다.
"내 영혼이 홀로 남았을 때
가족에게 고민을 털어놓을 수도
있었지만 그때 아주 달콤하게

속삭이는 이가 있었으니
속칭 언니라고 부르는 자들이었지.
가족이나 신부님에게 얘기하지
못할 창피함과 부도덕.
정죄 받고, 상처를 줄까봐
아니. 아니.
실망시켰다는 죄책감에
차라리 알지 못하는 여자에게
고민을 털어놓았지.
그 짐 덩어리를
그래. 언니라고 부르는 자들은
짐 덩어리라고 불렀지.
언니나 신부님은
아기를 낳아서 키우라고 할 테니
네 인생이 낭비 된다고
내 귓가에 속삭였지.
너는 능력 있는 여자야.
너는 자아실현을 해야 해.
너는 남자 없이도 살 수 있어.
너는 가족이 필요 없어.
너는 우리말만 들으면 돼.
비혼을 하며 사치스럽게
인생을 즐겨도 돼.
그 달콤한 말들이

신부님이나 언니들 얘기보다
더 마음속에 와 닿았지.
짐 덩어리는 반드시 죽어야 한다!
짐 덩어리는 반드시 죽여야 한다!
그 언니들이라는 작자들이
내 귓가에 속삭이며
언니들과 신부님에게 조언할 생각도 마비시켰지.
아이를 지우고 나니
내가 속았다는 걸 깨달았어.
생명을 죽인다는 것이
얼마나 비참하고, 영혼을 더럽히는 것을.
내 양심의 빛이 서서히 바래지고.
내 심장이 죄악의 기름에 튀겨지는
그 허무함과 죄책감.
그리고 죄책감마저 점점 엷어지는 것이
내 영혼이 지옥에 가까워지는 것이
느껴졌어.
낳아서 고아원에라도 맡겼으면
숨이라도 쉬어서 나를 원망이라도 했으면
덜 억울했을 텐데.
그 악마들이!
그 마귀들의 속삭임은
한 때는 달콤하면서도
결국은 내 영혼을

파괴시킨 다는 것을 깨달았어.
묵시록의 천사가 준
그 두루마기처럼
입에는 달콤하나 뱃속은 쓰디 쓴
그들의 말은 그 두루마기 같았어."
연희의 말에 한때 자신들의 행복에 취해
연희의 사정에 대해 신경 쓰지 못한
은희와 지희는 후회한다.
미희도 언니에게 신경 쓰지 못한 걸
아파하지만 그녀는 아직
새파랗게 어린 새싹일 뿐이다.
이제라도 미희에게 신경 써서
학교를 자퇴하게 했지만
그 이유는 부모님이 돌아가신 충격으로
미희가 학교에 나올 상황이 아니라는
은희의 정신과 전문의의 소견 때문에 그렇다.
만약 또래의 지뢰계 소녀들이나
소위 일진 언니들에게
사정을 털어놓았다면
어찌 됐을지 은희는
생각만으로도 아찔하다.
저녁 전까지 남은 음식을 다 먹어간다.
놀랍게도 그녀들은 그 많던 음식을
거지들이 아귀처럼 음식을 먹은 거 같이

다 해치워 버린다.
이제 남은 건 고기 몇 점과 빵 몇 조각 뿐.
아마 소화제들과 위세척재의 효과가 컸나보다.
위(胃)의 작고 작은 공간마저
음식으로 가득채운 자매들은
배가 터질 거 같은 포만감을 느끼며
식탁의 남은 부스러기들을 치우기 시작한다.
바퀴벌레와 구더기가 어지럽게
기어 다니는 환상을.
지저분함 속에 그런 추악함을
환영으로 보니
이미 의식이 없어
인지하지는 못하지만
영혼이 떠난 자신들의 육신이
어떤 모습으로 남게 될지
더러운 것들을 모두 토해내어
다른 사람들에게
안 좋은 모습으로 비추어 질지
사후(死後)의 모습까지도 걱정하게 된다.
자신이 행했던 일은
자신이 책임을 진다.
집을 어지럽히고, 더럽게 한 채
게으르고, 나태하게 떠나도 되지만
성실하고, 온유한 자매들은

집안을 깨끗이 하고,
최소한의 쓸 것만 남기어 놓았다.
만찬이 끝나고,
이제 미련 없이
달콤, 새콤, 매콤,.......
진짜 부자들이 보기엔 부족하지만
나름 잘 차려 먹었다.
이제 지희는 끌차를 준비하고,
나머지 자매들은 집안 정리를 마무리한다.
저녁놀이 질 무렵.
아침의 이슬은 공기에 이미 녹아들고,
그 흔적마저 찾을 수 없다.
석양의 붉은 빛이
긴 붉은 머리 여성의 머릿결처럼
저녁 바람을 괴롭힌다.
약속대로 탑차로
지희를 짝사랑하는
제약회사 직원이 40kg 질소가스통 20개를
집 대문 앞에 힘겹게 배달해 놓는다.
혼자서 20개 가스통을 놓는다는 것이
힘들지만 평소에 좋아했던
지희의 차갑고, 아름다운 모습을
상상하니 도파민의 샘물이
그의 뇌 속에 분출한다.

"실험에 쓰시려고요?"
남자는 베이지색 원피스차림의
여자다운 지희의 모습에
쑥스러워하며 묻는다.
"언니도 의사고, 저도 의사니
쓸 데가 많죠.
특히 연구 할게 있어서요."
그녀도 본능으로 알아챘는지
사실 지희는 이 남자에게
생전 예뻤던 모습을 보여주고 싶었다.
그렇게 말하지만
넌지시 눈을 흘기며 얘기한다.
"오늘이 마지막 실험이라 서요.
마지막 실험이 꽤 힘들어요."
마지막이라는 말에 남자는
의아한 표정을 짓지만
그녀의 무언의 메시지를
아직 알아차리지 못한다.
이렇게 지희가 남자와 얘기 하고 있을 때
연약한 자매 셋은
40kg짜리 질소가스통 20개를
끌차로 통해 부모님이 잠자셨던
안방으로 옮긴다.
이마에 송이송이

물방울이 맺히고,
너무나 피곤하고, 힘들지만
자매들은 의지가 있다.
이승의 마지막 정신적 향연을
준비하기 위해서는
아직도 아버지와 어머니의 향취가
배어 있는 방에.
그 방에 누워 준비하는 게 좋겠지.
아버지와 어머니가 쓰시던
이불과 방수커버는
바꾸지 않고,
침대만 라지킹 사이즈로 바꾸었다.
50평 큰 집에서
안방이 제일 큰 방이니
라지킹 사이즈 침대도
들어놓을 수 있었고, 그 안에
질소가스통 20개도 빽빽하게
들여놓을 수 있었다.
이미 인테리어 업자를 불러서
안방의 창문 틈새를 모두 막았고,
출입문의 틈새도 모두 막았다.
문만 닫는다면
절대 신선한 공기가
바람의 요정을 타고,

방에 도착할 리가 없다.
구슬 같은 땀을 흘리는
남성이 지희의 자태를 감상하다
알 수 없는 열망에 빠져
자기 비하의 감정을 안고,
이 저택을 떠나려 한다.
노을 햇살의 여자 같은
긴 머리카락이
그의 이마에 입을 맞추고,
그의 시선 또한
지희의 입술에 입을 맞추지만
그녀는 냉정하게
고개를 돌려 다른 자매와 같이
자신의 일상으로 돌아간다.
이렇게 한 저녁에 한 사내의
자그마한 데카당스가 끝난다.
자신이 조금만 더 돈을 번다면
자신이 조금만 더 잘생겼다면
자신이 조금만 더 적극적이었다면
데카당스에 머물지 않고,
붉은 장미를 손에 넣을 수
있을지 모르지만
그에게는 이룰 수 없는
자그마한 데카당스 일 뿐이다.

한편 네 자매는 40kg짜리
질소가스통을 안방으로 한 시간에
걸쳐 질서정연하게 배열해 놓는다.
주문한 질소가스통은
열고, 잠그는 스위치가
손힘이 약한 여성이
다루기 편하게 되어있다.
안방에 배열된 질소가스통은
태양계의 행성들이
침대를 중심으로 도는 것처럼
서로를 질서정연하게 쳐다보고 있다.
20개의 질소가스통이라
안방에는 꽉 차 보이지만
님프의 요염한 체형을 타고나
구름과 같이 가볍게
날아다니는 자태(姿態)!
날씬한 자매가 지나가기에는
무리가 없어 보인다.
한 시간 동안의 노동으로
자매들의 몸은
땀으로 흠뻑 젖었다.
꽃잎이 이슬에 젖은 것처럼
피부는 물길에 촉촉하지만
닦지 않는다.

이제 더 이상 올 사람이 없으므로
마지막 남은 쓰레기봉투 두 개 중
한 개에는
자매들이 입고 있던 옷을
한 올 한 올
전부 벗어 넣는다.
그 아름다운 몸을 감싼
속옷까지도.
이제 태초에 태어난
그 모습 그대로
실오라기 하나 걸치지 않는
알몸이 된 자매들은
내일이나 모레
언제 올지 모를 청소부를 위해
현관에 쓰레기봉투들을
단단히 묶은 뒤
차곡차곡 정리하고,
대문과 정문을 닫지만
잠그지 않는다.
이렇게 단단히 묶으면
킥킥킥. 웃기지만
바선생과 구선생이 쉽게
번식하지 않겠지.
거의 다 쓰레기를 치웠으니

가까운 훗날
청소부 아저씨들이 이제 치울 것은
안방의 침대에 뉘인
이 아름답지만
차가운 육신들과 질소가스통 뿐.
마지막으로 씻고 난 뒤
수건과 로션, 비누, 화장품등은
마지막 봉투에 전부 넣을 작정이다.
이제 자매들은 욕실에서
마지막으로 용변을 본 다음
하얀 살결의 아름다운 몸을
깨끗한 물로 씻기 시작한다.
욕탕은 두 사람이 들어가기에
적당한 크기지만
네 자매 서로가 서로를 포개어
나란히 앉는다.
서로 등도 밀어주고,
머리도 감아준다.
등 뒤에 느껴지는
다른 자매의 유방 감촉에
부드러움과 따스함도 느낀다.
남자라면 성적으로 좋아하겠지만
자매에게는 성적인 감흥은 없다.
단지 한 몸에 태어났던

그 그리움.
그 그리운 몸의 감촉일 뿐.
꽃잎을 따다
만지작거리면 느끼는
그 부드러운 속살은
한 몸에서 태어난
그 그리움.
그 그리운 몸의 향기일 뿐.
그리하여 모든 용변을 내보내고,
샴푸와 바디워시로
몸과 머리를 깨끗하게 한 뒤
바디로션으로 온 몸을 바른 뒤
서로의 얼굴을 보며
기초화장만 한다.
서로가 서로의 얼굴에
화장을 해주는데
모자라지도 않고, 과하지도 않는
태어날 때의 그 아름다움
그 자체의 꾸밈이다.
그래도 이 쓸모없는 육신
영혼이 떠난 뒤에도
나중에 보는 이가 눈살 찌푸리지 않게
최소한 예쁘게 꾸미고,
육체를 치울 때 역한 냄새

최소한 풍기지 않기 위해서다.
지희가 사후 육체가 어떻게
썩어 가는지 잘 알기에
이렇게까지 신경을 쓰는 것이다.
안방으로 가면서
부모님을 위해 50평집을
리모델링을 할 때
유독 안방을 넓게 만든 걸 다행으로 여긴다.
그러면서 원래 큰 거실을 줄이고,
나머지 방 크기를 조금 늘렸다.
그렇기에 특이하게 거실이
다른 50평집보다 작다.
75인치 TV를 놓으면 꽉 차 보일정도의
거실이고,
맞은 편 2미터 떨어진 곳에
네 명이 앉을 소파를 놓았다.
방 3개에 화장실 2개인
50평집인데
미희가 태어난 지
얼마 지나지 않아 산 집이다.
안방이 큰 이유는
미희의 육아방도 겸하기 위해서였다.
그렇기에 은희는 독방을 썼고,
지희와 연희는 같은 방에서 지냈다.

미희가 방을 가질 나이에는
은희는 독립했고,
이번에는 연희와 미희가 같은 방에서 지냈다.
이렇게 부모와 자매의 숨결이
그 피부의 향내가 배어낸 집이다.
처음 이 집을 살 때는
부모가 자기들 노후 대비 안 해도 좋으니
자매들에게 이 집을 남기고 싶어
사십 년 납기 할부 계약을 했다.
하지만 은희와 지희가
예쁜 꽃처럼 피어나
보기만 하는 관상용 꽃이 아니라
진한 향기가 밴
꿀을 만들 줄 아는 진짜 꽃인지라
이 집의 남은 할부금을
다 갚고, 집안의 빚도 없게 만들었다.
일 년 동안은 그렇게 행복했는데
일 년의 행복이 끝나고,
이제 은희에게 불행이 찾아오고,
지희도 메두사 같은 자들의 꼬임에 넘어가
막대한 빚을 지게 되었다.
지희는 차가운 파란 불의 눈빛을
마음에 머금고,
어떻게든 자신의 문제는

자신이 해결하려 했지.
이 냉정한 처녀가
제일 멍청하다고 스스로 여긴
도박을 한 계기가
자신의 프라이드를 믿어서 그렇지.
자신은 도박을 자제 할 줄 안다고.
자신은 중독을 자제 할 줄 안다고.
자신은 참을 줄 아는 여자라고.
자신은 냉정하고, 이성적인 여자라고.
투자라고 불린 도박에
그 얼음 같은 지성과 이성은 무용지물이네.
결국 어느 누구도 이 달콤한 유혹엔
빠져 나올 수 없어.
이것이 돌려받을 수 없는
어리석은 짓이라고,
마음속으로 몇 번을 말해도
달콤한 함정에 빠진
망각의 늪에 빠진
지희의 이성은 모든 마음의 경고를 무시하지.
누구보다 얼음 같고, 차가운 지성의 여자.
남자의 입술하나 용기 내어 입 맞추지 못하고,
남자의 입술하나 왕자님이 다가가 입 맞추지 못하고,
가끔 외로운 밤.
그래도 아기를 갖고 싶은 여자라고,

자신의 발기한 젖꼭지를
가냘픈 손가락으로 만지며
스스로의 욕망을 위로해 주며
눈물로 날을 지새 우네.
이제 모든 방의 불을 꺼놓고,
자매들은 다시 한 번 집 안을 살펴본다.
집 안에 정리 안 된 곳이 있는지
집 안에 더러운 곳이 있는지
안방만 아니면 됐다.
청소하시는 분이 치울 곳이란
오직 안방만 치우면 된다.
모든 틈을 막은 안방에서
자매들은 잘 정돈된 질소가스통과
하얀 이불이 덮어져 있는
라지 킹 사이즈의 침대를 보며
혹시 몰라 요강을 가져다 놓는다.
다시 한 번 싸고 싶으면 싸고,
물을 마시고 싶으면 수돗물을 마신 다음
안방 문을 닫기 전 침을 꼴깍 삼키며
마음을 다시 잡는다.
이제 안방 문을 닫으면
안에서는 절대 열 수 없고,
바깥에서만 열수 있게 인테리어 업자에게
구조변경을 했기 때문이다.

지희, 연희, 미희 이렇게 침대에 눕고,
은희는 방문을 닫기 전 생각해낸다.
어떻게 육신에서 해방될까 고민해 본걸.
간단하게 자매 넷이서
50층 이상의 빌딩에서
떨어질까 생각도 했었다.
하지만 지희가 말하길
"지면에 닿기 전에
심장이 마비된다고 하지만
뼈가 부서지고,
뇌가 파괴되는 고통은
내가 수술을 해봐서 알아.
그 환자의 고통은 그야말로
지옥의 불길에서 타죽는
것보다 더했지.
뼈가 살갗을 뚫고,
피가 강물처럼 옷에 스며든
살이 뭉개진 상태에서
의식은 살아있는데
제대로 말을 못하는 게
내가 외과 의사를 하면서
본 끔찍한 광경 중 하나였어."
그렇기에
추락사 하는 건 지희가 반대했다.

육신에서 해방 할 수 있는
한 방법으로
수면제를 다량 복용하는 것도
논의 됐으나
약발이 잘 받는 사람도 있지만
안 받는 사람도 있어
자매 중 절반 이상이 살아남지만
그 부작용 때문에
오히려 더 어정쩡하게 살아남아
평생 장애를 안고 가는 경우가 많다.
또 욕실에서 샤워하면서
서로 경동맥 끊어주기도
논의 됐으나
지희와 은희는
그래도 의술을 익힌지라
확실히 연희와 미희를 죽일 수 있으나
마음씨 약한 연희나
마음씨 착한 미희가
언니들의 손목 경동맥을
잔인하게 끊을 수 있는지는
의문이어서 각하되었다.
오히려 은희와 지희만이 살아남아
동생들을 죽인 트라우마 때문에
정신붕괴 할 가능성이 있어

그 상상만으로도 끔찍했다.
또 어떤 스타도 자살했던 방법인
번개탄을 피우는 방법도
논의 되었는데
은희와 지희가 반대했다.
번개탄에 의해 질식되어
죽는 과정이
너무나 고통스럽다는 거다.
"정신병원에서 번개탄으로
생을 마감한 환자의
일기장을 본적이 있네.
그 독한 연기에
목이 막혀 숨을 못 쉴 경우까지
그 과정을 기록했는데
폐에 독한 연기가
가득차고,
기침을 수 천 번 하며
죽는 과정이
무척이나 고통스럽다고 했지.
공장에서 갓 만든 연탄재를
코로 먹는 것같이
일기장 끝에는 '살려줘!'라고
끝나 있었지."
은희의 말에 고전적인 독살인

그라목손같은 농약이나
청산가리도 논의 대상이었으나
역시나 죽는 과정이
번개탄 피울 때 와 같이
너무 고통스럽다고 했다.
혹시나 마약인
펜타닐이나 헤로인 같은 것을
치사량 맞으면
어떨까 연희가 물었지만
의학에 조예가 깊은
은희와 지희가 반대했다.
그 이유는 각 사람마다 치사량이 다르며
만에 하나 살아남았다고 해도
수면제를 다량 복용한 것과 같이
평생 장애를 안고 살아야 한다는 거다.
결국 육신을 이승에서 버리는 일은
어떤 짓이든 고통이 따른다는 것.
그 옛날 아담이 생기가 진(盡)하여
잠자는 듯 한 죽는 편한 죽음이란
늙어서 죽는 죽음밖에 없다는 걸
깨닫고, 절망에 울부짖었네.
그러다 SNS 뉴스에서
질소가스에 의한 사형방법이
미국에서 시행 논의된다는

소식을 듣고,
질소가스에 의한 방법을 궁리해보았다.
질식해서 죽는 것은
똑같지만 번개탄 피울 때와는 달리
호흡하는데 고통을 주지 않고,
산소가 점점 모자라서
잠을 자듯이
의식 불명이 되어
죽는 다고 한다.
비록 아담이 진이 빠져
죽는 것과는 다르지만
잠을 자듯이 죽는 거라
액체 질소를 이용한
질소가스로 좋은 곳으로 가는
방법을 사용하기로 했다.
어차피 은희와 지희가 의사라
돈만 주면 의심받지 않고,
질소가스통을 구할 수 있다.
처음엔 그 지위를 이용해서
펜타닐이나 모르핀을 병원에서
다량 가져가려 했으나
액체 질소가 든 질소가스통으로
타깃을 바꾸었다.
지희가 다니는 병원에서

액체 질소로 외상을 치료하는 경우가 있어
병원 외과교수인 지희의
입장을 이용해
다량의 액체 질소가스통을 구입했다.
또한 지희를 좋아하는
제약회사 직원이 있으니
회사가 의심을 하여도
악녀 같지만 그 감정을 이용하여
맹목적으로 목적을 이루었다.
자매들이 다 침대에 가지런히 눕고,
은희가 안방 문을 닫는다.
이제 누가 들어오지 않는 이상
안에서 바깥으로 나갈 수 없다.
모두 다 굳은 마음을 먹고,
이제 이 덧없는 육신을
떠날 여행을 해야 한다.
이 여행이 육신과 정신의 고통에서
영원히 해방 시키는 것은 아니지만
적어도 다른 도피처는
될 수 있으리라 생각한다.
그 다른 도피처란
사람들이 없는 하얀 곳.
어쩌면 숲도 물도 없는 공허한
황야 같을 수도 있다.

네 자매가 함께 한다면
그 공허한 황야.
같이 손을 잡고, 걸어갈 수 있으리라.
아님 지희의 말대로
그냥 무로 돌아갈 수 있을 수 있지만
적어도 현생의 문제는
끝낼 수 있으리라 자매는 생각한다.
(무로 돌아간다면
지희를 뺀 자매가 믿는 신 같은 게 없어
그동안 착하게 산 것이
손해라고 느끼고,
이 세상에 사라질 것이다.)
이제 은희가 맏언니로써
질소가스통의 밸브를 하나하나 연다.
액체 질소가 높은 상온에 의해
가스가 되어 새어 나온다.
마치 죽음의 입자가 서서히
공기의 팔레트를 적시듯
기묘한 쉬 소리를 내며
이 공간을 채워나간다.
은희는 재빨리 20개의 밸브를 다 열고,
침대 안에 자매들이 누워 있는 곳
그 사이로 들어간다.
자매들은 달콤하면서도

처절한 그 향기를 서로 풍기면서
서로의 부드러운 몸을 부둥켜안고 있다.
서로의 눈물어린 눈만 쳐다보며
아무 말도 하지 않는다.
이미 만찬 때 서로의 할 말은 다 했으니까.
이불이 없는 침대에 서로 부둥켜안으며
서로의 몸을 쓰다듬고는
서로의 체온과 육체의 감촉을 느낀다.
그건 성적인 것보다는
자매로써 한 뱃속에 나온 같은 동질의 영혼들로써
서로의 존재를 확인하는 작업이다.
서로의 유방과 허리, 등을 쓰다듬으며
서로의 얼굴을 쳐다본다.
침묵은 더 크고, 긴 언어.
말은 하지 않지만 서로 무엇을 얘기 할지
서로의 눈빛에서 알고 있다.
서로의 육체를 만끽함으로써
비로써 안심이 된다.
그건 성적인 것이 아니라
자매애로써의 따스함과 포근함
그리고 무언가 형용할 수 없는 그리움.
시간이 얼마나 흘렀는지 모른다.
침묵한 채 달콤하고, 긴 숨소리만이 전해져온다.
그리고 서서히 잠의 요정에 의해

눈이 감길 무렵,
그러니까 진짜 질소가스의 사형방법처럼
이제 의식을 유지하기 힘들 때
서로가 서로에게 조용하게 소리친다.
조용하면서도 마지막 이승의 힘찬
외침과 같다.
서로가 서로에게 더 이상 미련이 없이.
죽어간 어머니에게 하지 못한 그 말이다.
"사랑해."

제2부

터널이 보이고,
흑암은 터널을 물들인다.
아주 자그마한 빛이
마음까지 암흑으로 물들어
입조차 벌리지 못할 만큼
차가워질 때
그 자그마한 빛이
그 터널 끝에 보인다.
터벅터벅
그 터널 끝으로 걸어갈 때
손끝의 차가운 냉기를 느낀다.
그러나 물컹.
뭔가 자신의 양 손을 잡고 있는
물컹. 물컹.
차가운 이물질적인 것을 느끼며
그대는 그 불빛으로 나가고 있다.

어쨌거나 내 옆에 있는 건
언니일까? 동생일까?
비록 주위는
암흑으로 도배되어
아무것도 보이지 않아도
무언가 있다는 직감으로
안심이 된다.
서늘한 바람이 피부에 느껴지고,
왠지 부끄러운 생각이 든다.
이 육신에서 벗어나기 전
태초의 태어날 때 그 모습 그대로
침대에 누워 있었다는 사실.
아마. 어딜 가든
실오라기 하나 걸치지 않는
그 모습 그대로 걸으리라
생각하니 부끄럽다.
그렇지만 상관없다.
지금 이 터널을 걷는 건
분명 부끄러운 육신의 모습이 아니라
남들은 인식을 하지 못할
영혼이 모습일 테니까.
영혼이 벌거벗었다는 것을
살아있는 자들은
보지 못할 테니까.

그렇게 그 암흑의 터널을
아무 말도 하지 않고,
계속 걸어가고 있다.
아니. 말을 못하는 것이 맞다.
이상하게 입에 풀을 바른 듯
말을 하려해도
말을 할 수가 없다.
누군가 언어의 저주를 걸었는지
아님 음성언어를 망각의 샘에 버렸는지
마음속으로는 얘기를 할 수 있지만
입으로 말을 할 수 없다.
그렇게 조용히 몇 시간인지
아니면 며칠인지
그 끝에 빛만이 보이는
그 암흑의 터널을 걸었다.
그것은 마지막으로 육신에서 떠난
영혼이 다시 육신에서
돌아올 수 있는 처음의 기회이다.
하나님의 정죄하심에
영혼들이 최초의 열반(涅槃)에 드는 경지.
죄를 짓지 않는 자는
이 터널을 지나면서
행복과 희망의 기운을 감싸 안고,
제일먼저 천상의 문을 두드린다.

자매들은 그렇게까지
선인(善人)이 아니기에
곧바로 천상으로 갈 수 없다.
그렇지만 업이 큰 악인도 아니기에
이 터널을 지나는 자매들의 영혼은
하나님의 정죄하심에
고요하게 투명하게 겁을 먹으면서도
서로의 영혼을 손으로 부둥켜안고,
터널 끝의 알 수 없는 빛으로
서서히 나아간다.
서로의 차디찬 영혼을 감각적으로
느끼면서,.......
드디어 이 터널 끝에 다다르러
빛 속에 들어가면
한동안 시야가 하얀 천에 덮이듯
하얀 광경만 펼쳐지다
사방이 알록달록한 꽃으로 덮인
들판이 나온다.
역시나 주위배경은
먹으로 칠해진 듯 까맣지만
이승에서는 볼 수 없는
형용할 수 없이 너무나 아름다운 꽃.
색깔도 가지각색이고,
보기에도 모양이 기묘하다.

기묘하지만 보았을 때
그 화려함과 모양이
살았을 때 보았던 꽃들과는 비교할 수 없이
너무나 아름답게 인식된다.
이제 자매들은 서로의
깍지 낀 손을 풀고,
서로를 바라본다.
꽃의 반사된 빛으로 인해
자신을 인식할 수 있기에.
실오라기 하나 걸치지 않는
벌거벗은 몸일 줄 알았지만
누군가의 마법에 의해서인지
하나님의 정죄함을 받아
아담과 이브가 에덴낙원에서
쫓겨났을 때와 같이
가죽옷을 지어 입히신 건지
자매들의 육체에는 옷이 입혀져 있다.
비록 반투명해서
하얀 속살이 얼핏 얼핏 다 보이지만
벗음으로써
최소한의 수치심을 당하지 않게
자매들은 시폰 드레스를 입은 모습으로
서로를 쳐다보고 있다.
모양은 똑같지만 색깔은 틀리는데

은희는 금빛의 드레스를.
지희는 적색의 드레스를.
연희는 은색의 드레스를.
미희는 청색의 드레스를.
자매의 영혼의 색깔에 맞추어
드레스의 색도 달라진다.
꽃밭에서 조금 나아가 보면
그 아름다운 천상의 꽃들은
이제 눈을 씻고도 찾아볼 수 없고,
눈앞에 사람크기만한 큰 간판만이 보인다.
"서천화원(西天花園)"
자매들은 서로의 어깨를 부둥켜안으며
자신들이 이제까지 지나온 곳이
저승의 꽃밭이라는 것을
이제야 실감한다.
그럼에도 저승 가는 길을
각자 가는 게 아니라
자매가 같이 걸어가는 것에
하나님께 감사의 기도를 드린다.
한동안 기도를 드리고 있는데
검은 배경의 하늘에서
네모난 하얀 빛이 자매들 곁에 내려온다.
대략 영화관 크기의 스크린으로
자매는 본능적으로 바닥에 앉는다.

그래도 주변은 먹으로 칠한 듯
어두운 공간이지만
이상하게 눈이 밝아진 건지
사방팔방 어떤 사물이 있는지
분간이 간다.
이건 기이한 경험으로
검은 공간에서 물건을 볼 수 있는
이적은 그야말로
물리 법칙을 깨는 현상으로
신에 대해 냉소적인 지희가 더욱 충격에 빠진다.
곧 그 스크린에서 영상이 나오기 시작하고,
그 영화는 네 자매의 인생이다.
어머니의 태속에서
입을 뻥긋거리며 양수를 먹었던 일.
태어나서 처음으로 어머니의 젖을
먹었던 일.
알록달록 모빌이 돌아가는 방에서
기저귀에 오줌을 누웠던 일.
유치원 때 백설 공주 역할을 하며
부모님을 기쁘게 했던 일.
마치 인생이라는 영화가
하루, 한 시간, 일 분
그렇게 상영이 되고 있다.
보통 천수를 다하다 죽으면

한 사람당 백 년 이라는 시간 동안
그 영화를 보지만
네 자매의 시간을 합해야
백 년.
이상하게 백 년 이라는 시간이
흐르는 거 같은데
졸리지도 않고, 배가 고프지도 않다.
또 오줌도 마렵지 않고,
아픈 곳도 없다.
텅 빈 육체에 깃든
고요한 감정이 싹튼 채
냉정하면서도 부끄럽게
그 스크린에 비추는 인생의
희로애락을 조용히 감상한다.
진실하게 말하노니
네 자매는 가끔 고개를 숙이고,
자신의 잘못.
자신의 부끄러움.
자신의 부족함.
자신의 열등감.
자신의 죄악을.
인생이라는 영화에서 보게 되리니
자신이 죄 없다고 판단한 것이
전혀 거짓됨을 알리라.

또 엄청난 비밀을 알게 되니
네 자매 위에는
큰 오빠가 있었다는 사실이다.
아버지가 다른
이부남매(異父男妹)가 있었던 사실은
네 자매에게 큰 충격으로 다가온다.
그것도 태중에서 낙태된
자신의 큰오빠로써
어머니가 열 입 곱 살.
철모르는 나이에
달콤한 사랑의 함정에 빠져
아이를 갖게 되었고,
열 일 곱이라는 나이에
뱃속에서 자라는 새 생명을
죽이게 되었다.
그럼으로 이 세상에
하나님 앞에 죄 없는 자가 없으니
자매들은 어머니의 죄에 눈물을 흘린다.
아버지 또한 순진한 꽃을 수분시킨
죄를 범하지는 않았지만
할머니에게 폭력을 휘두른 불효를
범했다는 사실을 알게 된다.
가끔 술을 마시면 할머니에게
폭력을 휘둘렀는데

자리에 앉아 우시는 할머니와
씩씩 거리며 소주를 연거푸 마시는 아버지.
어머니를 만나 폭력적인 본성은
많이 없어졌지만
어머니 또한 아주 가끔
아버지의 폭력에 우시는 모습을 보게 된다.
결국 신이 자매들의
오만을 정죄하기 위해
자매들에게 보여준 영화에서
죄 없다고 착하다고 하신 분들 또한
죄를 지은 죄인들이고,
자신들 또한 죄 없다고 속삭이지만
결국 똑같은 죄인이라는 사실을 깨닫게 된다.
백 년 이라는 시간 동안
자신들의 인생과 부모님에 대한 진실을
두 눈으로 본 자매는
다시금 그 검게 물든 공간에서
하늘로 떠오르는 이적(異蹟)을 겪게 되니
하늘의 중천(中天).
자그마한 빛이 있는 곳으로 빨려 들어간다.
영혼의 들림에 의해
그 암흑공간에서
자그마한 빛 안으로 네 자매가
빨려 들어간 뒤

인식하지는 못 하지만
무한의 영겁처럼
시간이 무한히 지나는 걸
얼핏 느낀다.
또한 몸이 분해되고, 타는 것도
느낀다.
따끔하게, 꼬집듯이
온 몸이 바늘로 찌르는 거 같은
아주 뜨거운
아니 뜨거운 것을 넘어선
그냥 한 순간의 절대적 아픔.
순간 찰나의 아픔인데
몇 초만 더 느꼈다면
정신은 미쳐버렸을 거다.
단 1초에 육체가 분해되는 그 느낌.
분해되고, 단 1초 만에 다시 재조립되는
그 느낌.
그 뒤,......
정신이 까마득하게
옅어져 가는 걸 느낀다.
의식이 없지만
가끔 느껴지는 그 느낌.
만약 무한에 가까운 세월을
인식하지 못한다면

인식할 때 그건 한 순간과 같지 않을까?
절대적인 무라는 건
자신의 존재를 인식하지 못하는 것.
빛 속에 빨려 들어가
다시 정신을 차리고 보니
자매들은 암흑공간에서 입었던
그 드레스 옷을 입은 채
서로가 광야에
같이 누워 있는 것을 발견한다.
그 전처럼 암흑의 공간은 아니지만
그렇다고 푸른 하늘이 덧칠한
살아있을 때의 그 하늘도 아니다.
잿빛의 노르스름한 하늘과
이름 모를 풀들이
듬성듬성 나 있는 대지.
이제야 자매는 조금 떨어질 수 있게 됐으며
말도 할 수 있게 됐다.
"연옥일까?"
은희의 얘기에 연희는 고개를 끄덕인다.
그때. 장미향 같은 달콤한 향내가
코끝에서 느껴지고,
그 향내를 따라 자매들은 그 광야를 걷는다.
한 발자국 한 발자국
로즈향의 시큼하면서도 달콤한 향내가 나는

그 근원에 가보면
그야말로 이 세상에 존재하지 않던
고귀한 여인이(외모의 묘사가 불가능한)
자신의 가슴을 내놓고,
한 아이에게 젖을 먹이는 것을 볼 수 있다.
자매들의 인식에
그 여인이 바로 성모마리아라는 것을
인지적으로 알 수 있다.
자매들은 무릎을 꿇고,
성모마리아가 어떤 모습인지 살펴보려 하지만
성스러운 여자라는 것만 인지할 뿐
인간의 아름다움 같은 외모기준으로
판단 할 수 없는 존재라는 걸 깨닫게 된다.
그것은 성모마리아면서
여성(女性)그 자체를 상징하는
여신(女神)이기에
다양한 모습으로 변하는 여신이기에
자매는 인간의 기준으로
그 여신을 판별 할 수 없다.
알 수 있는 건
그 여신이 반나(半裸)로 상체만 벗은 채
갓 태어난 아기에게
젖을 물리고 있는 것.
오오! 궁극적이다.

바로 여성 그 자체의 본질 중 하나를
시간과 공간의 한 지점에서
나타내고 있음을
자매들은 그 모습에 깨닫게 된다.
은희, 연희에게는
여성 중 최고의 여성인
성모 마리아의 모습으로.
신을 믿지 않는
지희에게는 이치(理致)를 뛰어넘는
인간의 모습을 한 자연의 모습으로.
미희에게는 어머니 하나님의 모습으로.
그리하여 자매들은 그 여신의
본질을 드디어 깨닫게 된다.
우주적 진리는 남성과 여성이
조화되어 이루어지듯
여성의 본질이란
바로 희생과 모성애, 창조라는 것을
알게 된다.
인류의 멸망은 이제 더 이상
여성이 여성의 성질을 띠지 않고,
다양함의 존중이라는 핑계로
그 누구도 희생하려 하지
않음이리라.
여성의 본질인 우주의 창조자 중 하나

오오! 마리아여!
오오! 알 수 없는 여신이여!
오오! 희생이자 자애여!
무조건적인 희생과 자애는
어떤 대가도 어떤 억울함도 존재하지 않음을.
그 심판과 파괴는 자신의 짝이자
사랑하는 자가 대신 행함을
그 여성은 자매의 마음속에
은은히 속삭이듯 말한다.
그 여성은 손짓으로
연희에게 오라고 지시한다.
"예수님인가요?"
연희는 눈동자에
수정 같은 눈물이 맺힌 채
여린 음성으로 질문한다.
그 여신은 고개를 저으며
잔잔한 바람이 불 듯
잔잔한 목소리로 대답한다.
"네가 죽인 아이지.
생명을 창조하고, 키워내는 나는
이 아이를 온전하게 다시 태어나게 했다.
이 아이는 육신이 갈가리 찢어졌지만
다시금 어머니를 만나게 됐으니
이제 네가 젖을 한 번 물려보렴."

여신은 아이를 연희에게 건네주고,
연희는 눈물을 흘린 채
드레스의 상체를 젖혀
자신의 젖가슴을 그 아이에게 물린다.
연희는 그 아이의 얼굴을 보고,
이 아이가 자신이 뱃속에서 죽인 아이임을
알게 된다.
"이제 보게 될 것은
세상의 끝이다.
연희가 아이에게 젖 주기를 끝내면
너희들은 세상의 종말의 날에 남을 것이고,
세상의 종말을 보고, 지옥을 걸어
내 아버지이자 내 사랑에게 정죄함을 받은 뒤
너희들의 운명을 결정하리라.
아이는 죄가 없으니까. 어머니를 만나서
젖 한 번 물려보고, 다시 태어나리라."
여신은 달콤하면서도 잔잔한 바람의 음성처럼
이 말을 하고 난 뒤
온전하게 옷을 입은 채 네 자매 곁에 섰다.
그건 아직 연희가 아이에게 젖 주기를
끝내지 않았기 때문이다.
연희도 낙태를 하고, 젖이 마른 자신이
어째서 아이에게 모유를 줄 수 있는지
의아해 했지만

아이가 젖을 빨 때 마다
어머니의 미소와 기쁨, 희열, 한숨만 나온다.
여신은 앞으로의 광경에
갑자기 눈에서 피 눈물을 흘리며
슬픈 얼굴을 하고 있다.
자신이 존경하는 자이자
자신이 순종하는 자이고,
자신이 사랑하는 자가
반드시 해야 할 심판과 정죄이기 때문에
여신은 죄인들을 구할 수도 볼 수도 없기 때문이다.
무조건적인 희생과 자애, 창조, 양육자,……
어느 말로도 설명이 불가능한
아름답고, 너무나 아름다운 여인은
한참 뒤 연희가 아이에게 수유(授乳)를 끝낸 뒤
아이가 유두를 때며 방긋거리자
아이를 다시 자신의 품에 안고, 서서히 사라진다.
이렇게 생명은 다시 태어나는
과정을 거치게 되리니
연희는 자신이 뱃속에서 죽인 아이가
흙으로 무로 사라지지 않고,
다시 새로운 몸으로 태어나는 것을 보고,
안심의 한숨을 내쉰다.
마음속으로
'잘 가! 미안해.'

라는 어머니의 마지막 애정어린
말들을 남기고.
곧 이적이 끝나고,
네 자매는 광야를 다시 걷기 시작한다.
분명 신기루처럼
저 멀리 익숙한 도시가 보이니
바로 서울이다.
광야의 딱딱한 흙길을
단화(短靴)에 의지해 걸으니
발목이 아프고, 무릎이 쑤신다.
그래도 몸은 계속해서
어떤 이의 의지와 명령에 의해
계속 걸으리니
익숙하게 보았던 서울시의 풍경이
눈에 가까워질 때
하늘에서 나팔 소리가 들리고,
자매들은 푸르렀던 하늘이
갑자기 시뻘개 지는 것을 본다.
드디어 서울에 들어가게 되고,
"안양천"이라고 써진
다리 푯말을 보고,
이곳이 구로구라는 곳을 알게 된다.
자매들은 도로에 차가 다닐까
무서워 보도블록으로 피한다.

그때 기이한 광경을 보게 되리니
검은 대형차들이
때지어 수 천대가 구로구 가리봉고가를
지나가는 것을 보게 된다.
그 검은 대형차들은
무척이나 기이하고, 특이했는데
상표는 어느 회사인지 쓰여 있지 않았고,
정상적인 차 번호판도 없고,
단지 666번이라는
알 수 없는 번호판이 달려 있다.
현대의 어떤 모습의 디자인이 된 차와
닮지 않고,
몸체는 말의 상체와 비슷하나
바퀴는 번쩍이는 것이
마치 불길을 사방에 내뿜는 거 같다.
차 안에 탄자는 검은 선글라스에
검은 양복을 입은 단발머리 신사였는데
뒷좌석에는 외모는 알 수 없으나
붉거나 희거나 자주색이거나 보라색인
이브닝 원피스를 입은 여자가 타고 있었다.
그녀들 손에는 이상한 모양의 기계가 있었고,
차가 도시 안으로 들어가자
그녀들은 그 기계를 차 밖으로 던지더라.
그 기계의 모양은 네모난 자그마한 상자 같았는데

각 모서리에 불빛이 나고 있었고,
조그마한 힘을 주면 터질 거 같았다.
마치 우유곽이 터지듯
그 기계가 터지더니 형형색색의
불빛을 내는 기체들이
도시에 넘쳐나더라.
네 자매는 한숨을 꾸역꾸역 쉬며
마트와 집이 있는 골목에 들어갔다.
"매애. 매애."
매미가 장례식장에서 통곡하듯
서글픈 듯이 울고,
새빨개진 하늘은
더욱 피를 연상하는 색으로 변하더라.
네 자매는 마트들과 주택가를 돌아보는데
퀴퀴한 안개 같은 것이
사방에 깔려 있는 것이
음산한 영들이 거리를 거닐고,
생기 있는 것들이 없는
무미건조한 풍경이었다.
사람들이 어디 있나 찾아보려 둘러보는데
빨갛고, 파란 조명이
번쩍 거리는 한 대형마트 안에 들어가 보더니
그야말로 사람들이 입에 거품을 물고,
광란의 춤을 추고 있었다.

광란의 춤이기보다는
좀비영화에서 본 그 좀비들처럼
제대로 사물을 인식하는 자들을
찾아볼 수 없었다.
아니. 인식은 하는데 어디에 영혼이 빠진
광신도들처럼 이성을 제대로 가진
자들이 없는 거 같더라.
그때 아기들 울부짖는 소리가 들려
그곳으로 가보니
정육점이 있는 코너더라.
자매들이 자세히 보니 정육 코너에서는
한 살 이하의 신생아(新生兒)들을
선반 위에 올려놓는데
아이들이 겁을 먹은 듯
울부짖는 게 보였다.
은희가 무슨 일인지
더욱 자세히 보니
소의 머리를 한
세 개의 눈이 달린
괴물이 나오더라.
그 괴물은 소의 머리를 하고 있지만
상체와 하체는 인간으로
상체는 발가벗었고, 유방이 없고,
가슴에 음모(陰毛)가 있는 걸 보아서는

남자더라.
그 괴물이 선반에 놓인 아기의 옷을 벗기더니
옷이 다 벗긴 아이는
고양이 우는 소리와 같이 빼액 빼액
소리를 질렀다.
그래도 인간의 이성이 깃든 아기는
여린 고사리 손과 가냘픈 눈을 가졌어도
자신의 운명이 어떻게 되는지 아는지
겁에 질려 눈을 바르르 떨었다.
그때 남자는 고기 칼로 아이를
각을 뜨려고 하니
아이는 단 한 번의 칼질에 목이 잘리고,
공포의 울음을 그치더라.
자매들은 그 광경을 보고,
겁에 질려 통곡을 하며
울부짖었다.
그 괴물의 얼굴에 아이의 순결한 피가
튀기면서 아이의 몸을 해체하니
살과 근육, 내장, 뼈를
다 바르고, 뼈와 고깃덩어리를
분리하더라.
생기 있던 아이의 얼굴로 가죽을 벗기고,
뇌수와 뼈로 완전히 분리하더니
아이의 생전 귀여움과 온전함이 사라졌다.

자매들은 처참하고, 잔인한 광경에
온 몸을 부르르 떤 채
아무 것도 하지 못하고,
그 광경을 지켜보니
그 괴물은 아이의 발라진
고깃덩어리를 정육점에서 쓰는
고기 분쇄기에 넣어
잘게 다진 고깃덩어리로 만들더라.
그때 머리는 황충(蝗蟲)과 같고,
몸은 푸른색인데 연미복을 입은
또 다른 괴물이
아이의 남은 뼈를 박스에 담아가더니
마트 안에서 좀비처럼 서 있는
사람들 있는 곳으로 박스를 옮기더라.
그때 좀비처럼 서 있는 자들이
다시 부르르 떨며
아이의 피가 뚝뚝 떨어지는 뼈를
기쁜 듯이 쳐다보며 웃었다.
그리고 의문의 박스 하나가
그 황충 머리를 한 괴물이 가져다 놓았는데
자매 중 겁 없는 지희가 박스를 열라고 하나
그 괴물이 지희를 보고, 이렇게 말했다.
"우리가 한 일을 봐야 열린다.
저들은 죄인이니 아이의 피와 살로 기뻐하고,

곧 심판을 받아 이곳의 상층으로 올라가리라."
네 자매는 아이의 비참한 운명에
그렁그렁한 눈물을 보이며
또 다른 황충 머리의 괴물을
따라갔다.
알 수 없는 힘에 의해
아니면 저주 받은 힘에 의해
그 황충 머리의 괴물을 따라가니
보아하니 이곳은 큰 마트가 아니고
백화점이니 벽 한편 포스터에
세 생물의 초상화가 걸려있는데
한 생물은 일곱 머리를 한 용이고,
한 생물은 세 머리를 한 사자며
또 한 생물은 두 머리를 한 사람이다.
각 머리에 눈이 두 개씩 붙어 있고,
자매들은 알 수 없는 금지된 언어가
그 이마에 쓰여 있다.
그 황충 머리 괴물을 따라 백화점에 오르며
풍경을 살펴보니 무척 기이하더라.
"이 거리에 있는 사람들은 어떻게 됐죠?"
에스컬레이터로 올라갈 때
황충의 괴물에게 물으니
괴물이 답하길,
"이 도시에 의인은 없다.

의인들은 다른 곳으로 갔으니
이 도시에는 저주받은 영혼들과
고통 받을 영혼들만 남았다.
아주 증오스럽고, 가증한 영혼들은
또 다른 지옥에 가리니
여기에 남은 죄인들은
적어도 벌을 받고, 윤회를 할 수 있는 자들이다.
온 도시에 가증하고, 신성모독의 피의 축제가
열리니 이 타락한 서울 역시
그 중 하나다.
온 도시를 돌아다녀도
심판 받을 자들과 더럽힌 자들밖에 없다.
밖에는 네 기사의 차가
증오스럽고, 가증한 영혼들에게 고통을 주니
아름다운 권천사(權天使)들이
가진 상자가 각자의 그 벌이다."
대화가 끝나고, 2층에 올라왔다.
2층에는 발가벗은 여자들이 손가락에는 보석과
손에는 명품가방이 가득히 매달려있는데
그녀들 몸 하반신은
녹색의 큰 도룡뇽같은 괴물이
씹어 먹고 있었다.
그 큰 도룡뇽을 보니 큰 녹색의 황소개구리 같았는데
그 크기가 무려 중형세단만 했다.

그것이 여성의 하반신을 과자 씹듯 우드득
씹고 있었는데
그럼에도 자신의 손에 가득한 보석과
가방의 환희에 도취돼
씹어 먹히는 아픔도 잊고 있었다.
3층에는 미희가 아는 목사님, 연희가 아는 신부님,
많은 종교인과 학자 같은 사람들이
두 우상에게 절을 하고 있었는데
한 우상은 온 몸이 검은 머리는 개요,
상반신은 유방이 달린 여성의 상반신이요.
하반신은 염소의 네 다리를 가진
반인반신(伴人半身)이고,
또 한 우상은 딱 보아도
일곱 머리를 가진 붉은 용이었다.
그 반신은 크기가 무려 7미터가 넘으니
갑자기 그 반신이 일어서더니
발로 그 사람들을 짓밟으니
사람들이 짓밟혀 뼈와 살이 분리되는
죽음을 맞이하는데도 아랑곳없이
기뻐했다.
일곱 머리가진 붉은 용은 알겠는데
그 반신의 정체에 대해
자매들이 의아해 하자
곁에 있던 황충 머리 괴물이 실실 웃으며 말했다.

"저 개머리 반신의 본래이름은
이스다롯이라고 불렸으며
지금 사람들은 맘몬이라고 부르며 숭배한다."
4층에 올라가자 수많은 선반들이 있는데
선반 위에는 젊은 여자들이
벌거벗은 채 가랑이를 벌리며
누워 있었고,
그 옆에는 마네킹처럼 생긴 여자인형들과
성관계하는 벌거벗은 남자들이 있더라.
그 남자들은 입에 침을 흘린 채
여자인형들을 범하고 있었는데
그 여자인형을 보니
은희는 그게 뭔지 알겠더라.
단백질 인형이라고도 불리며
섹스 봇이라고도 하는 여자 인형인데
영혼이 없는 인형인지라
남자들은 자기 마음대로 그 인형을 범했다.
하지만 곧 모든 정액이 빨렸는지
근육과 지방이 다 없어진
몰골이 너무나 앙상한 해골만 남은 상태만 되었다.
곧 그들은 다른 정상인 벌거벗은 남성에게 붙잡혀
손으로 머리통을 쥐어지더니
으스러져 머리가 터져 살해당하고,
그 자리를 그 남성이 차지하고,

다시 그 인형과 성관계를 가졌다.
그런 환락의 가증하고, 문란한 광경들
중앙에는 샛별처럼 빛나는
권능 같은 게 있었는데
그곳엔 아주 아름답지만
표독스러운 표정을 한
금발의 긴 머리를 한 소녀가 있었고,
역시나 긴 금발머리를
한 황충 머리의 괴물이 있었다.
그 금발의 소녀를 보니
흔한 여자그룹 아이돌 센터 같은
남자라면 누구나 꿈꾸는 섹시하고,
예쁜 외모를 하고 있었지만
그 외모 이면에는
온갖 가증한 가식과 냉소가 있었고,
그 소녀는 자신의 배와 배꼽이 보이는
검은 탱크탑과
잘록한 허리와 엉덩이가 보이는
미니스커트를 입고 있었지만
자매가 얼핏 그녀의 우윳빛 빛깔을 띤
배 부근을 자세히 쳐다보자
그녀의 자궁에는 생명이란 것이
없음을 자매는 알 수 있었다.
또한 금발의 황충 괴물을 자세히 봤는데

그 괴물은 다른 황충 괴물과 달리
피부는 갈 황색이요
하얀 양복을 입고 있었는데
그들 주위에 그 소녀의 자식인 듯한
예쁜 소녀들이 둘러싸여 춤을 추고 있었다.
왜냐면 그 소녀들은 중앙의 그 소녀를
"엄마."라고 부르기 때문이다.
가증한 아이들을 낳고,
젊고, 젊은 매력적인 외모를 지녔지만
본질의 눈으로 보면
그 소녀는 인류 여성과 아주 오래된 적으로
아담의 첫 짝이었고,
수메르 최고의 여신이었으며
그리스에서는 사랑의 여신이고,
북유럽에서는 젊음의 여신으로
많은 이름을 가진 여자다.
성모와는 다른
또 다른 성질의 여성으로
성모와는 반대되는 교만과 무자비의 화신으로
아이들의 피를 좋아하고,
여성의 살을 좋아하는 자다.
은희가 보고, 그 소녀들이 인간인 줄 알았지만
그 소녀들은 악마들로
인간의 이름으로 말하자면

릴리스의 자식들이고, 사탄의 자식들로써
온갖 남성을 죄악으로 꾀고,
여성을 타락시키는 자들로써
은희는 그 금발의 예쁜 소녀의 정체를 알 것 같더라.
황충 괴물의 왕.
긴 금발 머리의 황충 괴물은 자매들에게 다가가
얘기를 하기 시작했다.
"앞으로 9층을 더 올라갈 수 있지만
너희에게 하나님이 허락하신 층이 여기까지다.
너희가 본 이적은
사치와 향락에 물든 여자들의 운명.
물질을 숭배하는 성직자들의 운명.
또 연희. 네가 처해질 수도 있었을 운명이다."
그 말을 마친 뒤 긴 금발 머리의 황충 괴물
혹은 아바돈이라 불리는 그 괴물이
그 예쁜 금발 머리 소녀의 탱크탑 안에 손을 넣더니
그 소녀의 유방을 어루어만지며
리듬에 맞추어 말을 한다.
스 소녀도 흥분이 된 것인지
릴리스 혹은 아스타토르라고 불리는
옛 그 소녀가 아바돈의 뺨에 혀를 날름거리며
옛 남자에게 그랬던 것처럼
모멸에 찬 표정으로 교태를 부리고 있었다.
"(아바돈의 말) 사탄은 실패할거라 얘기했지만

난 아스타토르와 함께
도시를 타락시키는 데 성공했다.
모든 것은 쇼이며 비즈니스.
난 인간의 근원적인 욕망만을 자극했다.
아주 달콤한 말로
그것이 성공이라고 얘기해줘도
지들이 알아서 타락하지.
물질만이 성공이라고.
신 같은 것은 없다고 얘기해줘도
지들이 알아서 타락하지.
(소녀의 노래) 어서 와요! 서울의 밤에.
가랑이를 벌린 여자들과 끝내주는 남자들이 있어.
어서 와요! 서울의 밤에. 어서 와요! 서울의 밤에.
(아바돈의 말) 악마는 교회를 못이 길거라
그 광신자들이 자신했지만
난 아스타토르와 함께
도시를 타락시키는 데 성공했다.
과학기술과 인간의 욕망을 결합시키면
최고의 죄악이 탄생하는 걸 모르는 구나.
난 인간의 근원적인 욕망만을 자극했다.
(서큐버스 일동) 사탄도 울고 갈 전략! 아스모데우스도
좀 배우라고!
마마 파파야스! 이블리스! 모두 아바돈님을 칭송하지.
(아바돈의 말) 아주 달콤한 말로

물질만이 성공이라고.
얘기해줘도 이 놈들은
서양 놈들보다 쉽게 넘어오더군.
그야 신에게 바라기만 하고,
예수 천국 불신 지옥
노래 부르는 빌어먹을 놈들이니 그렇지.
사실 진짜 복음도 진짜 천국도 모르는 건
자신들이라는 걸 몰라.
(소녀의 노래) 어서 와요! 서울의 밤에.
가랑이 벌린 여자들과 끝내주는 남자들이 있어.
어서 와요! 서울의 밤에. 어서 와요! 서울의 밤에.
(아바돈의 말) 기독교만이 진리라고
그 위선자들은 자만했어.
다른 종교들 좀 보라고.
(서큐버스 일동) 옴마니반메훔! 라니 크리슈나!
그 어떤 말을 지껄여도 성자님의 진리는 없지!
(아바돈의 말) 신이 기독교에만 있는 건 아니라고.
난 아스타토르와 함께
도시를 타락시키는 데 성공했어.
아스타토르는 예쁜 외모로.
나는 너희들이 원하는 걸 무기로.
이 놈들은 정말 나쁜 놈들보다 쉽게 넘어오더군.
그야 자신들만이 옳다고 여기고,
예수 천국 불신 지옥

정말 성자가 말한 진리도 깨닫지 못하니
지옥에나 쳐 박혀 있지.
(악마들 일동) 어서 와요! 서울의 밤에.
가랑이 벌린 여자들과 끝내주는 남자들이 있어.
어서 와요! 서울의 밤에. 어서 와요! 서울의 밤에."
아바돈은 자신의 할 말을 마쳤는지
이제 그 의문의 박스 여는 걸
자매에게 허락한다.
그때 선반에서 상반신은 남성이고,
머리는 소머리를 한
괴물이 여성에게 다가온다.
정육점에서 본 그 괴물과는 달랐는데
머리가 둘이요, 손은 기괴하게 생겼다.
그 괴물은 여성의 가랑이 성기 안에 손을 넣어
자궁 속 깊이 무엇인가 꺼낸 듯하니
그때 발가벗은 죄악의 여성은
너무 고통스러워 크게 울부짖었다.
그렇게 선반위에 있던 여성의 가랑이에서
무슨 핏덩어리 같은 것이 흘러나온 것을 보고,
연희를 제외한 모두 비명을 지르며 놀란다.
연희는 그러나 결말이 보고 싶은지
그 의문의 박스를 용기 있게 연다.
박스를 여니 피 냄새와 죄악의 냄새가
2층 온 사방에 진동하니

그것은 수많이 잘라진 태아들의 사체.
특히나 머리가 둘로 갈라진
한 태아의 머리에서
피눈물이 맺히는 걸 보고,
연희는 박스안의 내용물의
참담함과 끔찍함에
괴성을 지르며 기절한다.
자매들 또한 연희를 따라 괴성을 지르니
아바돈과 아스타토르, 서큐버스들이
전부 박장대소를 하며 그 광경을 쳐다본다.
이는 하나님의 정죄함으로
선반 위에 오른 여자들은
같은 죄를 저질렀음에도 회개치 않고,
또다시 잘못을 저질러
결국 죽음을 당한 자들이고,
남자들 또한 여자를 임신시키고도
신경도 쓰지 않는 자들이다.
그리하여 회개치 않는 여자의 자식들은
이렇게 핏덩어리가 된 채
연희의 자식과 달리
윤회도 하지 못하고, 비참한 운명을 맞이한다.
그 죄인들은 죄가 중함으로
윤회의 기회도 없이
세세토록 마지막 날까지

그런 고통을 겪으리니
아바돈과 아스타토르는 이 지옥에서
그 존재들을 세세토록 고통을 주리라.
적어도 하나님이 세상을 멸망시킬 날까지.
아직 9층을 더 올라갈 수도 있지만
하나님이 자매들에게 허락하신
이적이 이것이 다 인지라.
기절한 자매들의 영혼은
어느 존재들에 의해 다른 곳으로 인도된다.
순백의 새하얀 빛.
너무나 하얘서
한 점의 흙빛도 없는 새하얀 도화지 같고,
순수함만이 가득한
새하얀 눈이 뒤덮인 공간 같다.
자매들은 눈을 비비며
이 새하얀 공간에서 깨어나니
곧 새하얀 공간에서 하얀 꽃들이 깨어난다.
사방이 하얀 꽃들로 채워지니
그 가운데 하얀 원피스를 입은
아름다운 소녀가 땅속에서 솟아오른다.
이 소녀의 이름은 비밀이라.
자매들은 이 소녀가 천사소녀라는 것을
영적인 교감으로 알 수 있었다.
이 소녀의 외모를 어떻게

묘사를 할 수 없었는데
성모와 같이
인간의 기준에서는 그 아름다움과 성스러움을
마땅히 나타낼 말이 없기 때문이다.
"이곳은 하나님의 은혜로운 땅.
너희들은 아직 세 군대의 지옥을
지나야 한다.
세 군대의 지옥을 지나면서
성자의 가르치심과
하나님의 자비를 알게 되리라."
천사소녀의 말과 동시에
그 하얀 꽃들이 모세의 기적처럼
갈라지리니
자매들은 그 갈라진 틈에 빠져
새로운 땅, 새로운 곳으로
떨어졌다.
자매들이 정신을 차리고 보니
하얀 원피스를 입은
천사 같이 생긴 여성이
자매에게 나타나
백 팩 가방을 주었다.
그 여성은 긴 흑발에
얼굴이 갸름하고,
초롱초롱한 큰 눈을 가진

서구형의 미녀였는데
분명 아는 얼굴 같았다.
과거 아버지 서재에서 본 적이
있는 거 같았는데
은희가 네 살 쯤에 한 번 본 이후
지희는 아주 어릴 때 한 번 본 이후
다시는 보지 못했다.
그 여성이 자매에게 말했다.
"앞으로 3일간 이 도시에 있을 건데
이 가방에서 마실 것과 먹을 것을
꺼내 먹어라.
마음씨 착한 너희들이 죄인들에게
음식을 주지만 그 죄인들은
그 음식과 음료를 보지도 느끼지도
못할 거야."
"누구시죠?"
은희의 물음에 그 여자는 살짝 미소를 짓더라.
"네가 태어나는 걸 제일 반긴 사람.
결혼도 못하고 죽었지만
하나님의 은총으로 이렇게 천사가 됐단다.
아직 너희들에게 기회는 있다.
하지만 하나님은
너희들이 지옥을 보길 원한다."
은희는 그 여자가 누군지 몰라도

너무나 그리운 생각이 들어
끼어끼어 소리 내며 울었다.
기억력이 좋은 미희는
그때 인생을 보여주는 스크린에서
은희의 인생을 보여줄 때
이 여성과 아버지가 서로 얘기 나눈 걸 기억했다.
이 여성이 자매들을 쳐다보고 웃으며 떠나가자
미희는 이 여성을 향해 크게 울부짖는다.
"고모!"
남자한테 한 번도 안기지 않고,
숫처녀로 죽은 영혼이여.
하나님은 그대가 남자와 사랑을 나누고,
아이를 낳고 살기 원했지만
그대는 남을 돕다가 죽었구나.
붉은 이슬이 태양에 의해 바스러지듯
죄 없이 악한 자들에게 살해당했구나.
생명을 못 만들었으니
연옥에 갇혀야 했지만
선한 행동, 선한 본성으로
천사가 되리니.
그 존재에게 위로가 되리라.
자매가 백 팩을 메고, 도시에 들어가는데
도시의 건축물은 전부 뼈대만 남긴 채
폐허가 되어 있고,

도시의 하늘은 석양이 떠있으며
하늘은 모닥불처럼 붉었다.
도시에는 풀 하나 자라지 않고,
물 한 줌 없었다.
그곳에서 수많은 사람이 있으니
무리들 전부 헐벗고, 행색이 남루했다.
마치 몇 달은 굶고, 씻지 않는 것처럼
피부는 새까맣고, 머리는 서리태가 끼었다.
자매가 그들을 자세히 보니
남자들은 철근, 쇠파이프, 나무방망이를 들고 있었고,
여자들은 한 군대로 서로모여 벌벌 떨고 있었다.
그때 괴상한 뿔 나팔 소리가 들려오더니
무리들은 서로 뿔뿔이 흩어지며 도망치더라.
자매들은 그들이 도망칠 때
건물의 한 벽에 숨어 뭐가 오는지 지켜보는데
곧 각양각색의 머리는 말이고,
상체는 건장한 남성이고,
하체는 이족 보행하는
말발굽이 있는 말의 하체인
괴기한 괴물들이 나타났다.
그 괴물의 손엔 온갖 끔찍한 무기들이 있었고,
도망치지 않고, 이곳에 남은 사람들이 있자
일부의 남자는 곧바로 무기로 쏴 죽이고,
일부의 여자는 강간한 뒤에 칼로 목을 베어 죽였다.

하지만 대다수의 남자와 여자들에게는
사지를 찢기는 고통을 주리니
그들은 곧 고통에 겁을 집어 먹고, 도망치기 시작했다.
시간이 약간 지난 후
한 괴물이 다시 뿔 나팔을 불더니
그 괴물들은 흩어지며 각자가
인간들을 사냥하기 시작했다.
자매들도 그 무서운 광경을 보고,
붙잡히면 좋은 결말은 없을 거 같아
서로 손을 붙잡고, 그 괴물들에게 도망치니
하나님의 은총으로 그 괴물들은 자매들을 보고도
보이지 않는지 전혀 붙잡지 못했다.
한 시간 정도 걸었을까?
시간이 지난 뒤 폐허인 한 건물 안에 들어가니
이 층의 뼈대만 남은 방 안에
남자 하나와 여자 둘이
숨만 죽인 채 숨어 있었다.
"배고파! 배고파! 배고파!"
"추워! 추워! 추워!"
"무서워! 무서워! 무서워!"
세 명의 남녀는 몸을 웅크리며
겁에 질려 벌벌 떠니
자매 중 제일 마음씨 좋은
미희가 자신의 백 팩에서

휴대식량 하나를 꺼내 그들에게 주니
한 남자가 미희의 휴대식량을
손으로 붙잡으려 하지만
손으로 붙잡지 못하리라.
곧 자매들은 피곤하고, 배가고파
휴대식량으로 요리를 하니
세 명의 남녀는 보이지 않는 것으로
요리하는 시늉을 하고,
또 먹는 시늉을 하는 자매를 보고
미친년들이라고 비웃었다.
이들은 너무나 굶주리고, 몸이 추운지라
얼굴을 들고 하나님을 저주하고,
그 옛날 SNS에서 해외여행에 명품을 두르고,
외제 차만 몰며 오마카세만 먹었던
그 부유한 시절을 기억하더라.
자매들이 그들을 보고, 기이하게 여기니
공중에 목소리가 있어 자매에게 말했다.
"이들은 살아있을 때
남자는 여자를 이용하고,
여자는 남자를 이용하여
온갖 부귀영화를 누리고,
사랑이라는 것은 모른 채
남을 이용하는 자들이다.
자신의 남자를 물소라고 비웃고,

부르며 재물을 빼앗고,
자신의 죄도 회개하지 않고,
신마저 비웃으니
제일 약한 죄인부터 먼저 악마에게 죽고,
제일 중한 죄인이 오래 산다.
그들은 굶주림, 추위, 공포에 사니
죽어서도 다시 살아나 또 같은 죽임을 당한다.
이놈들에게는 안식도 휴식도 없으리니
곧 너희는 보게 된다."
그 말과 동시에 그 괴물이 방 안에 나타나
그들을 잡으려 한다.
하지만 일부러 놓아주는 건지
총 한 발 여자의 발에 맞추고는
여자를 향해 다가오더라.
그들은 공포에 질려 달아나니
마치 잡히면 어떤 고문을 당할지
아는 것처럼 보였다.
네 자매는 여자를 따라가니
괴물들은 자매가 보이지 않는 건지
자매들을 막지도 해치지도 않는다.
달아나는 여자는
옷이 해지고, 몸은 때에 찌들어
피부가 쭈글쭈글하니
그 옛날 호화스러운 삶을 그리워하며

울부짖는다.
그러나 정작 자신이 그 삶을 살기위해
상처를 입힌 남자와 이용한 그 남자에 대한
미안함과 죄책감 같은 건 없었다.
하나님의 정죄함으로
다리에 총을 맞아도 걸을 수 있으니
그 고통이 이루어 말할 수 없고,
걸을수록 뼈가 으스러지고, 살이 뭉개지는
통증을 겪으리라.
그 여자는 다시 한 폐건물 안에 들어가니
거기에는 한 여자가 또 있었다.
이윽고 밤이 되어 하늘은 시커멓게
어둡고, 별마저 죽은 듯 보이지 않는다.
이상하게 죽어서도 그들에게는
피곤함이라는 게 있는지
그녀들은 굶주리고, 졸린대도 잠을 자지 못한다.
자매들이 왜 그녀들이 교대로 경계를 서면
잠을 잘 수 있는 대도
경계를 서지 않는지 의아해 하자
공중에서 목소리가 있어 그 이유를 말한다.
"이들은 서로가 서로를 의심한다.
그 부유한 기억과 남을 이용해먹은 본성으로
서로가 서로를 신뢰치 아니하니
아무리 피곤해도 편히 잠을 못자고,

피로와 굶주림, 목마름, 추위, 공포가
그들에게 계속 된다.
특히나 저 다리에 총을 맞은 여자는
이름이 한혜선이요, 과거 자신을 사랑해주는 남자를
배신하고, 딴 남자에게 정을 주었으니
배신한 남자의 재산을 빼앗고,
다른 남자의 아이를 배었는데도
아이까지 뱃속에서 죽였으니 그 죄가 너무 중하여
이 여자는 몇 달이고, 몇 년이고 계속 굶주리고,
목마르나니 결코 아사(餓死)하지 않는다."
자매들은 그 말을 듣고, 여자를 계속 쳐다보니
며칠을 굶고, 목이 마른지
두 눈에 핏기가 어려 배고픔과 고통에 울부짖었다.
곧 또 그 괴물들이 쳐들어오니
한혜선은 부상 입은 몸을 이끌고 도망치니
그 괴물은 한혜선에게
채찍으로 폭력만 가하고,
결코 잡거나 죽이지 아니 한다.
그때 미희의 생각에 그녀 때문에
죽은 남자의 환영이 스치니
그녀를 사랑하기에 자신의 장기까지 팔고,
그녀를 사랑하기에 자신의 모든 재산까지 바쳤지만
그녀에게 돌아온 건 배신과 능멸뿐이라
그 앞에서 다른 남자와

성관계 하는 장면까지 보여주리니
이 남자는 그 다음날 목을 매어 죽었다.
그 죄가 너무 중하고,
그 남자가 너무 불쌍해 미희가 감정에 복받쳐 우니
공중의 목소리가 미희를 위로한다.
"그 남자는 악녀인 한혜선을 그래도 사랑하여
한혜선의 수호천사가 되려고 했지만
하나님이 그 남자를 불쌍히 여기사
하나님의 보좌를 지키는
세라핌으로 부활시켰다.
이 남자는 그 선한 마음으로
에메랄드 빛 사랑의 기적을 받으리니
그 여자에게 받은 능멸과 상처를
치유하리라."
미희는 고통당하며 울부짖는 한혜선을 뒤로하고,
자매들에게 오늘 밤은 다른 곳에
취침을 하자고 얘기한다.
비록 뼈대만 앙상하고, 모든 것이 낡은 건물이지만
자매들은 서로 누워 끌어안으며
서로의 온기를 온전히 느낀 채
잠이 든다.
서로를 믿지 못해 신뢰하지 못해
잠도 못자고, 서로를 감시하는 저들과 달리
자매는 서로에게 딱 달라붙으며

서로의 온기와 향기를 느끼며
한 배에서 나온 콩깍지처럼
편안한 밤을 맞이한다.
이 폐 도시에는 이름 모를 짐승의 울부짖음.
사람들의 비명이 넘쳐흐른다.
이 폐 도시의 밤은
마치 죽음의 여신이 축복을 하는 거 같고,
에오스의 자비를 받지 않는
밤의 암흑만이 도시를 비추나니
추위와 굶주림, 무서움에 죄인의 영혼은
그 영혼 깊은 곳에서
절망과 고통으로 끓어오른다.
편히 쉬지도 못하고, 그 괴물에게 사냥당하니
쉽게 죽이면 자비롭겠지만
죽이지 않고, 고통을 주며 괴롭히니
계속 되는 쫓김과 쫓김에
아침에 된 그 건물에 한 죄인이
찾아온다.
자매들이 아침에 깨어나니
사방은 안개로 가득 차 있고,
원혼들의 울부짖음이 멀리서 들린다.
이 죄인들에 의해 삶이 망가진
원혼들의 울부짖음이다.
아침이라고 해서 태양은 떠오르지 않고,

하늘만 밝아질 뿐
고독한 절망과 죽음의 여신의 축복은
계속 된다.
자매들이 배가 고파
아침을 먹으니
아침을 먹은 뒤 한 남자가 그곳에 오리니
그의 이름은 이영훈이라고 한다.
그는 오른팔이 칼에 잘려 외팔이었고,
몰골이 좀비 같이
초라하고, 더러우니
자매들은 그에게 음식을 권하지만
그 역시 자매의 음식은
보지도 만지지도 못한다.
공중에 소리가 있어
이영훈이 어떤 자인지 말한다.
"부모가 이혼하고,
어머니 곁에서 컸는데
어머니는 다른 남자를 집에 들여
어린 영훈이가 보는 앞에서
성관계를 가졌다.
커서 여성에게 사랑을 못 느끼니
그를 사랑하는 젊은 여성이 있었는데
그 여성을 쾌락의 대상으로만 삼는 도다.
그 여성을 임신시키고, 버리리니.

그 여성은 아이를 낙태하는
죄를 범하게 하고,
그 여성 역시 죄악의 구렁텅이에
빠지게 만들었다.
이렇게 몇 명의 여성을 가지고 놀다
돈 많은 늙은 여성을 만났는데
나이가 오 십대 정도의 골드미스였다.
그 여성 역시 젊었을 때는
미모 때문에 콧대가 높고,
구혼했던 남자들을 다 차버렸다.
우연히 재물의 운이 좋아
혼자 다 써도 못 다 쓰는
재물을 마련했지만
그 나이가 오십이 넘은지라
아주 늦은 나이에 여자의 애절한 본능인
아이라도 가지고 싶어
이영훈의 청혼을 받아들이며 결혼한다.
여러 여자를 껌 씹듯 씹다 버린 그이기에
이 여성을 정신적으로 괴롭히는데
그게 통달한지라
하나님의 기적으로 이 여성은 아이를 가졌지만
이영훈은 혼자서 유산을 독점하고 싶어
온갖 모욕과 비하, 괴롭힘으로
그 여성을 자살하게 한 지라

결국 그 여성의 재물은 얻었지만
크나큰 죄악을 범했고,
영혼까지 악에 팔아넘겼다.
이 자는 세세토록 고통 받으리니.
죄가 너무 중하여 한혜선처럼
윤회의 기회 없이
이 지옥에서 영원히 고통을 받으리라."
자매들은 그 얘기를 듣고,
이영훈을 쳐다보니
그의 해골과 같은 몰골에서
움푹 팬 그 두 눈에는
후회와 광기의 빛이 나는지라
호사스럽게 지내던 시절의
그리움과 함께
왜 자신이 이런 벌을 받는지
이런 상황에 처했는지
이해를 하지 못한 채
지극히 높으신 이를 저주하고,
더 쾌락적으로 살지 않는 것을 후회했다.
자매는 그가 광인(狂人)인걸 눈치 채고,
그 건물을 조용히 떠나갔다.
그렇게 또 하루가 지나고,
마지막 이 지옥에서의 하루가 찾아왔다.
자매들이 깨어나 백 팩에서

아침을 꺼내 먹으니
공중에서 목소리가 있어
"오늘은 이 지옥을 내 하인과 함께
둘러보거라."
그때 하얀 단발머리에 회색 눈동자를 한
잘 생긴 천사가 자매들 곁에 나타났다.
그가 자매들 곁에 다가가 점잖게 말하길,
"내 손을 잡거라."
은희와 지희가 그 천사의 양손을 각각 잡고,
은희와 지희의 손을 연희와 미희가 잡았다.
그 천사가 갑자기
하늘에 붕 뜬 거 같이
하늘을 날리니
공중에 떠오르는 풍선처럼
자매들도 공중으로 날았다.
"절대 놓지 말거라."
그 천사가 자매들에게 엄히 말하니
자매들은 고개를 끄덕이고 순종한다.
공중에서 이 지옥의 풍경을 보니
그야말로 풀 하나 물 하나 없는
불모지요, 폐도시다.
그곳에서 수많은 사람들이
한혜선과 이영훈과 같은
고통을 당한다.

하늘에는 해가 안보이고, 먼지가 껴
밝지만 뿌옇고,
싱그러운 푸른 하늘이니
밝은 햇살이니 하는
희망찬 모습은 전혀 기대할 수 없다.
그 천사가 계속 자매의 손을 잡고,
빠르게 날리니 큰 폐건물 같은 게
작은 개미처럼 보였다.
그렇게 한 시간을 날아다닌 거 같은데
천사는 다시 낮은 음성으로 말한다.
"이 지옥의 크기는 한 초은하단의 크기와 같다.
너희들 단위로는 약 10억 광년의 크기다.
이 도시에서 이 지옥의 끝까지 가려면
0.225 엑사년이 걸린다."
천사의 얘기에 미희가 어리둥절하여
지희에게 물어보니
지희가 놀라는 표정으로 대답한다.
"22경 5천 조년이야."
이렇듯 죄인이 세세토록 벌을 받으리니
아주 중한 죄인은
22경 5천 조년동안 방황을 하며
22경 5천 조년의 굶주림과 목마름,
피로함과 삶의 공포를 더한다.
하지만 하나님이 그가 죽기를 원하지 않으니

그는 다리와 팔이 없어지는 병신이 될망정
결코 어떻게든 죽지를 못한다.
금방 죽고, 또 부활하는 자는
죄질이 아주 약한 자.
신의 자비에 의해 금방 죽으리니
그만큼 고통이 덜 한다.
한 남자의 생명과 영혼까지 팔아먹고,
여러 남자의 재산을 앗아가고,
생명을 가증하게 여긴 한혜선과
한 여자의 생명과 영혼까지 팔아먹고,
여러 여자의 정신을 파괴하며
여러 생명을 죽이게 한 이영훈은
22경 5천 조년이나 고통을 받아야 하니.
그 죄가 너무나 중함이다.
천사는 곧 표현할 수 없을 정도로
그 구조조차 알 수 없는 건축물과
이 세상과는 다른 색깔의 대지를 날고 있으니
그 안의 생물들도 인간과는 다른 모습이다.
그런 건축물과 생물들이 수 억, 수 십 억 종이니
천사는 의아해 하는 자매들에게
엄하게 말한다.
"하나님은 인간만의 하나님이 아니고.
온 우주의 하나님이라
수많은 외계의 종족이

이런 벌을 받는 다고 하면 된다.
이미 우주의 진리를 성찰(省察)하여
하나님의 축복을 받은
깨어 있는 종족이 있는 반면
이렇게 수많은 종족이 남을 속이고,
죽이는 일을 범하니
그들도 인간과 같이 똑같은 벌을 받는다."
곧 이 지옥의 끝.
하얀 빛 기둥이 있는 곳까지 도착하니
이곳이 자매들에게는 우주의 끝 같이 보인다.
천사는 이 빛기둥의 끝에
자매들을 내려놓으며 작은 목소리로 답한다.
"아직 너희들이 완전히 죽는 건 아니다.
너희들이 하나님의 계획을 보는 것은
삶의 무게가 얼마나 무거운지
너희들에게 보이기 위해서다."
천사는 그 말을 하고, 자매들을 떠나갔다.
자매들은 그 빛기둥 앞에서 어떻게 할지 멍하니
서 있는데 곧 그 빛기둥이 서서히 다가오더니
자매들을 삼키기 시작한다.
자매는 그야말로 격렬한 뜨거움과 빛을
온 몸의 감촉으로 순식간에 느낀 뒤
어떤 공간에 떨어지니
이 곳은 해 없는 푸른 하늘에

은하계가 떠 있고,
이 차선 도로 같은 곳인데
도로 각 옆에는 나무들이 무성하게 있었다.
자매들이 정처 없이 이 도로를 걸으니
약 한 시간 걸을 때 마다
눕거나 앉을 수 있는 벤치가 나오고,
두 시간을 걸으니
대추야자가 풍성하게 열린 나무가 나오고,
세 시간을 걸으니
언제라도 마실 수 있는 맑은 샘이 나왔다.
자매들은 굶주린지라 키가 안 닿은 대추야자 열매를
어떻게 딸까? 고민했지만
생각만으로도 대추야자 열매가 떨어졌다.
자매들은 벤치에 앉아 대추야자 열매를
마음껏 먹으며 여기가 왜 지옥인지
의아해 했다.
그때 공중에서 소리가 있어
자매에게 속삭이듯 말한다.
"고통 받는 지옥은 행위에 따른 결과로
고통을 받으리니.
생전 선한 일을 행했거나
의인이었거나
아주 작은 나쁜 일을 행하면
악마에게 고통 받는 일은 없다.

내가 누누이 말해두지만
기독교만이 무조건 진리가 아니고,
불교도 무조건 진리가 아니다.
이슬람교도 진리가 아니고,
흰두교도 마찬 가지다.
과학도 진리가 아니니 진리는 오직
하나님뿐이다.
하나님은 모든 종교와 과학을 포함하고
있는 분이니
이곳은 하나님을 믿지 않는 자들이
자신의 마음을 다스리고,
정죄하며 순례하는 곳이다.
그리하여 다시 마음을 다스리고,
윤회의 생각이 들 때
다시 다른 의식체로 태어나기 위해
정화되는 곳임으로 지옥은 지옥이다."
"완벽한 사람은 없어요."
은희의 물음에 소리는 웃으며 대답한다.
"네 말이 옳다.
자비로운 하나님은
타인을 악의로 망가뜨리지 않는 한
자그마한 잘못들은 용서하시고,
자신을 정죄하고,
용서를 바라는 자들까지 용서하신다.

사람을 죽였어도
자신을 보호하기 위해서나
실수로 사람을 죽였으면
이곳에서 정화를 거쳐 다시 태어나고,
자그마한 거짓말
자그마한 성적타락
연인이 없어 자기만족을 하거나
자그마한 속임, 문란
하나님에 대한 원망과 절규등도 용서하신다.
그러나 이곳을 영원가까이 순례함으로써
마음의 희망과 빛을
발견하지 못하니
마음이 불안하고,
계속 진리를 갈구하는 것이
바로 지옥이라고 하는 거다."
"이곳의 크기는 어떤가요?"
미희는 전의 지옥이 10억 광년이라는 것을
들어 소리에게 물어본다.
"100경 광년의 크기다.
걸으면 0.225 론나년이 걸린다."
미희는 그 말을 듣고, 지희를 쳐다본다.
"0.0225양(穰)이야. 터무니없이 큰 수야."
익숙지 않는 단위기에 지희를 뺀 자매는
모두 의아해 한다.

0.225 론나년이나 걸리는 아득한 거리.
먹고, 자면은 더 오랜 시간이 걸릴 것이다.
지희는 혹시 숲 속에 들어가면
다른 길이 있지 않을까 싶어
규정을 무시하고,
도로의 양 옆 숲으로 들어간다.
하지만 숲 하나 사이
그 옆에 또 다른 이차선 도로가 나오니
다시 숲을 빠져나와도
도로가 보이는 무한한 반복적인 풍경이다.
그리하여 지희는 100경 광년 크기의 이곳이
구(球)의 공간이 아니라
사각형의 공간이라는 것을 깨닫는다.
지희는 우주의 물리법칙을 능가한
불가사의한 공간과 차원의 작용을
이해 할 수 없어
머리를 두 손으로 붙잡으며
소리를 내지른다.
곧 공중에서 소리가 들려와 말한다.
"너희 자매는
이곳에서 1만 년을 걸어야한다.
나비가 태어나기 위해
누에의 과정이 있고,
누에가 번데기가 되고,

번데기가 나비가 되듯
제일 흉측한 것에서
아름다운 것이 태어난다.
이것은 불꽃과 같고,
상념(想念)의 무명실이
저 끝에 닿아 있음이다.
하나님은 억지로 믿음을 강요하지 않는다.
스스로 깨달아
마음속에 불꽃이 차오르기 바라니
번데기에서 무지갯빛 나비가 태어나는 거 같이
너희들의 영혼이 정화되기 바란다.
너희는 사람들에게 상처를 주었으나
해악을 끼치지 않았다.
너희는 하나님에게 원망했으나
훼방하고, 저주하지 않았다.
곧 성자(聖子)의 진리의 빛이
너희들에게 비출 것이니
이 길에서 여러 사람을 만나고,
일 만년동안 걸어
무명실의 끝에서
다음 여정을 시작하여라."
지희의 고뇌를 자매들은 느낀다.
지희를 위해서.
자신들을 위해서.

이 길을 걷는 순례를 시작한다.
하루에 40㎞라는 거리를 걷는다.
그건 먹고, 쉬고, 자는 시간을 포함해서이다.
첫날은 이렇다.
자매들은 시계는 없으나
대략 느낌으로 한 시간을 걷고,
벤치에 앉아 쉰다.
몇 십분 쉰 다음 또 한 시간을 걷는다.
양 옆 도로의 숲과
공중의 푸른 하늘
그 하늘에 얼핏 보이는 정상나선은하를 보면서
정상나선은하의 중심엔
큰 불빛이 있는데
마치 큰 태양과 같은 것이기도 한 게
쳐다봐도 눈이 부시지 않았다.
그 황홀함으로 길을 걷는 게 지루해 질쯤에
푸른 하늘의 그 정상나선은하를 보면
코끝이 찡해지고, 그리움이 솟아난다.
발이 붓고, 무릎이 아프다.
네 시간을 걸으니 배가 고프다.
대추야자 나무에서 대추야자를 먹으며
조금은 쉰다.
자매들끼리 얘기를 나누며
긴장감과 피로를 푼다.

그렇게 다시 네 시간이 반복된다.
또 점심을 먹고,
그렇게 다시 네 시간이 반복된다.
이제 저녁을 먹고 나니
푸른 하늘이 조금은 어두워 담청색으로 물들고,
그 정상나선은하는
더 화려하고, 명확하게 보인다.
그때 자매를 위해서 하늘에서 따사로운 비가 내린다.
소나기도 아니고, 가랑비도 아닌 것이
살아있을 때 샤워기에서 나오는
물줄기 수준의 따스한 비다.
자매들은 이 비의 의미를 알아챘는지
실오라기 하나 걸치지 않고, 옷을 벗는다.
그 비에 몸을 씻으니
삼십 분 가량 그렇게 비가 내린다.
항상 날씨는 늦은 봄
혹은 초가을의 날씨 같아서
그 도로에서 잠을 자기 적당하다.
젖은 옷을 침상 삼아
도로에 깔고 알몸인 채 누우면
이상하게 옷은 금방 마른다.
자매들끼리 수다를 떨다
슬슬 잠이 오고, 꿈나라로 간다.
이곳에서는 몸을 씻어야 하지만

이곳의 영혼은 배변활동이 없음으로
오줌을 쌀 일도 배변을 할 일도 없다.
오직 대추야자를 먹고,
샘물을 마시며
지정한 시에 몸을 씻고,
잠을 자면 된다.
나중엔 신발도 필요도 없어
맨발로 도로를 걸어 다니니
도로에 자갈하나, 유리조각 하나 없었다.
그렇게 일 년이 지났다.
이제 자매들은 이곳에서 어느 정도
적응이 되었다.
아무런 자극도 없이
같은 풍경, 같은 일과가 계속되니
자매들은 서로에게 점점
말을 걸지 않게 된다.
그렇게 삼 년의 시간이 흐르게 되니
아침 인사, 점심 인사, 저녁 인사를
하고 난 뒤에
자매들은 정해진 일과를 혼자서 하게 되었다.
잘 때 서로 온기를 확인하며
서로의 손을 꼭 붙잡고 자지만
더 이상 성장이 멈춘
시간이 흐르지 않는 육체에는

계속 똑같은 모습의 상대방에
질리기 마련이다.
젊어지지도 않고, 늙지도 않는
불변의 석고상 같은 모습.
곧 십 년의 세월이 흐른다.
그래도 가끔씩은 서로 간에
얘기를 하며
생전 그리운 추억을 기린다.
똑같은 풍경, 똑같은 길을
십 년이나 걸으니
마음은 무뎌지고, 생전의 추억만이 남는다.
매일 대추야자 열매만 먹고,
맑은 샘물만 마시니
과거에 먹었던
과자며 과일이며 아이스크림이며 오마카세가
점점 희미한 기억이 되고 있다.
그래도 아직은 생전의 기억이 잘 유지되고 있다.
백 년의 세월이 지나니
지희는 늙지도 젊어지지도 않는
자신의 육체가 당황스럽다.
그렇게 불로불사(不老不死)가
인류의 꿈이거늘
그 꿈에는 인간의 간악한 욕망이
숨겨져 있다는 걸 깨닫는다.

타인의 위에 서고,
타인보다 초월적인 이타심은 없는
개인의 영화가 바로 불노불사의 야망이라는 것을
지희는 깨닫는다.
과학자들이 말하는 그 불노불사의 정체가
개인의 영화(榮華)뿐만 아니라
신을 부정하고, 과학이야 말로 신이라는
오만함이 있다는 것을 깨닫는다.
그리하여 타인은 어떻게 되든
자신의 야망을 위해서 사는 것이
옳다는 것을 과학자들이
돌려 말한다는 것을 깨닫는다.
백 년 후에
자매들은 더 이상 말을 하지 않는다.
불노불사의 몸이 되었지만
모든 감각은 무뎌졌고, 생각마저 마비되었다.
죽는 존재들이 있다면
마치 하등한 곤충처럼 생각할 정도로
자신들이 위대한 존재라는 생각이 든다.
그렇게 오만함과 무관심이 절정을 이루고,
이것이 신의 시험이라는 것을
천 년 후가 지나야 깨닫는다.
천 년이라는 세월이 흐르는 동안
영원히 산다는 것이

얼마나 괴로울 수 있는지 알게 된다.
영원함이란 오직 하나님만이
누릴 수 있는 것.
피조물이 멸망하고, 새롭게 태어나는 이유를
자매들은 팔천 년이 지나야 깨닫게 된다.
구천 년 동안
길을 꾸준하게 걸으면서
지루함과 지루함 사이.
생각과 생각의 사이에
하나님의 총 천연색(天然色)진리에 대해
어렴풋이 눈이 뜨이게 되고,
마지막 천 년 동안
자매들은 자신의 부모님을 여기서 만나게 된다.
서로 미소를 지은 채
쳐다보고 지나쳤지만
그 미소와 눈인사만으로
구 천 구백 구십 년의
이야기와 마음을 헤아릴 수 있다.
부모님은 구 억 팔 백 만년이나
이 길을 더 걸어야 하지만
다시 태어 날 수 있음에 하나님께 감사한다.
또 은희는 자신의 남편과 두 아이가
이 길을 걷고 있음을 보게 된다.
남편의 두 손을 꼭 붙잡고, 걷는 네 다섯 살의

자신의 자식들을 보고,
은희는 구슬 같은 눈물을 흘린다.
그래도 내 생명들이 불지옥에 가지 않았다고
생각하니 은희는 하나님께
감사기도를 올린다.
"이 아이들과 아이들의 아버지는
천 년만 더 깨달음을 얻은 뒤
윤회를 하리라.
은희야. 너와 관계있는 사람이 될 것이다.
하나님이 다시 기회를 주시리니
세상 끝날 때 까지 너랑 인연이 있을 것이다."
자매들은 자신의 부모님을 보았고,
자신들과 연관이 있었던
보통 사람들을 이곳에서 보았다.
자그마한 죄악, 보통의 삶.
남을 헤치지 않고, 조금은 불경해도
신은 용서하신다.
다시 한 번 기회를 주시리니
하나님은 자비하신 분이시다.
이제 기한이 차
일 만년 동안 이 길을 다 걸으니
자매의 몸에서 빛이 흘러나온다.
일 만년 동안 길을 걸으면서
인간이 영원히 사는 것이

얼마나 부질없는 짓이며
하나님을 경멸하는 짓임을 알게 된다.
피조물이 불노불사를 원하는 것은
자신의 영광을 위해서이고,
남을 지배하기 위해서임을 깨닫게 되고,
그리하여 삶이란
하루하루가 가치 있는 것이고,
죽음이 삶보다 더 가치 있는 것이라는
것을 깨닫게 된다.
죽지 않고, 이 길이 고통스럽더라도
끝까지 살아가는 것은
삶을 사랑하는 것이고,
죽음이 끝이고,
고통의 끝이라는 유혹은
악마의 속삭임이라는 것을 깨닫는다.
삶은 영속적이며 죽음도 한 일부분이다.
불노불사는 결국 신을 모독하고,
자신을 파멸하는 길임을
자매들은 깨닫는다.
자매들은 마지막 하나님이 보이시는
이적을 보리니
바로 영원한 지옥
게헤나이다.
공중에 소리가 있어 내용을 들어보니

"죽어서 존재는 윤회를 하게 되지만
존재의 기회가 영원한 것은 아니다.
하나님이 지으신 모든 것들은
시작이 있으면 끝이 있다.
우주의 입자가 무량대수(無量大數)년의
곱의 무량대수(無量大數)년이 지나고,
또 그 곱의 무량대수(無量大數)년이
흘러 붕괴가 되고,
우주의 블랙홀은 무량대수(無量大數)년의
곱의 무량대수(無量大數)년이 지나고,
또 그 곱의 무량대수(無量大數)년이
지나고, 그 곱의 무량대수(無量大數)년이 지나고,
또 그 곱의 무량대수(無量大數)년이 지나야 붕괴된다.
그러면 차원마저
무량대수(無量大數)년의
곱의 무량대수(無量大數)년이 지나고,
또 그 곱의 무량대수(無量大數)년이
지나고, 그 곱의 무량대수(無量大數)년이 지나고,
또 그 곱의 무량대수(無量大數)년이 지나고,
또 그 곱의 무량대수(無量大數)년이 지나고,
또 그 곱의 무량대수(無量大數)년이 지나야 붕괴된다.
이렇게 차원과 물질마저 붕괴되어도
하나님은 존재와 영혼에게 아직 기회를 주리니
그것은 물질이 아닌 영적인 세계에서의 기회니

우리 피조물은 그 의미조차 상상할 수 없다.
그 영적 세계에서
무량대수(無量大數)년의
곱의 무량대수(無量大數)년이 지나고,
또 그 곱의 무량대수(無量大數)년이
지나고, 그 곱의 무량대수(無量大數)년이 지나고,
또 그 곱의 무량대수(無量大數)년이 지나고,
또 그 곱의 무량대수(無量大數)년이 지나고,
또 그 곱의 무량대수(無量大數)년이 지나고,
또 그 곱의 무량대수(無量大數)년이 지나고,
또 그 곱의 무량대수(無量大數)년이 지나고,
또 그 곱의 무량대수(無量大數)년이 지나야
영원한 심판을 시작하신다.
하나님의 자비와 공의시여
너희들은 그런 시간이 지나도
심판 받는 자들이 머무른 영원한 지옥
게헤나를 보게 될 것이다.
영원한 지옥, 영원한 지옥!"
자매들이 게헤나에 발을 들여 놓았을 때
여러 층으로 된
하지만 그 층들은 중첩된
상상도 할 수 없는 공간이더라.
여러 계층의 그 층들의 형벌을 보니
그야말로 불교의 지옥도와 같고,

기독교의 지옥, 이슬람의 지옥, 그리스신화의 지옥
모든 문화와 문명의 지옥 모습이 섞여 있었다.
심지어 외계문명의 지옥까지 섞여 있으니
게헤나는 그야말로 자비와 희망이 없는 곳이고,
한 번 들어가면
영원히 고통과 절망에 빠질 수 없는 곳이라
자매들은 그 광경을 보고, 충격에 빠진다.
"그렇다면 저희가 게헤나에 간 것은!"
감성적인 연희가 누군가에게 묻자
공중에서 소리가 있어 말한다.
"이곳의 시간은 최후의 심판일 때 시간!
너무나도 터무니없이 먼 미래다.
이제 존재는 더 이상 윤회를 하지 못하고,
하나님이 주신 기회가 사라지니
새로운 자아의 인식마저 사라진다.
하나님이 공의로 이제 존재들을 심판하시니
그 어떤 과학기술의 힘으로도
하나님의 정의를 방해 할 수 없다.
하나님의 권능에 비해
피조물의 과학기술은 먼지에 불과하니
너희의 과학기술에 대한 오만은
반드시 화가 되어 돌아올 것이다."
자매들은 알 수 없는 힘에
게헤나의 죄인들과 물리적인 접촉은 못하지만

그 게헤나의 형벌을 경험해 볼 수 있다.
게헤나의 심판은
그야말로 불에 육체와 영혼이 타고,
수많은 형벌의 도구들이 육체와 영혼을 가르고,
찢고, 파괴시키며 세포마저 잘라낸다.
과거의 역사에서 보았던 온갖 참혹한
고문과 처형이 매일 자행되는데
거열형, 곤형(棍刑), 교수척장분지형
구오형(俱五刑), 내장꺼내기, 능지형
수레바퀴형, 스카피즘, 식형
신체관통형, 생리박피형, 아페가
아형, 압사형, 요참형
용골쓸기, 인간대포, 익수형
장살형, 증형(蒸刑), 톱질형
팔라리스의 황소, 피의 독수리, 팽형
차라리 불못에 빠져 육체가 타서 죽거나
혹한의 추위에서 떨어 죽는 게
자비로울 정도로
이 게헤나에 있는 존재들은
이 모든 사형과 고문을 하루에 다 경험한다.
휴식이란 없으며
죽으면 다시 살아나 또 사형 당한다.
자매들은 자신의 죄를 정화하기 위하여
아직은 영원한 심판이 임하지 않음으로

자매들은 딱 한 시간
이 지옥의 형벌을 당해보았는데
일 분이 하루 같고,
한 시간이 일 년 같았다.
시간의 화살이 서서히 흐르듯
이 고통과 공포가 영원하다는 것이
자매들에게는 절망 그 자체로 다가온다.
공중에서 고통 받고 있는 자매들에게
목소리가 들린다.
"너희가 보았던
아바돈이 있던 지옥.
더 높은 층계에 있던 지옥은
맛보기에 불과하다.
사람들을 사냥했던
데미고르곤이 있던 지옥은
맛보기에 불과하다.
그동안 영혼들을 정죄하고,
징벌을 주어 다시 윤회하셨던
하나님의 자비가 이제 사라지니
이 지옥들의 악마들도
같이 심판을 여기서 당하게 된다.
오오! 두려워하라!
지옥에 갈 놈들은 지옥에 간다.
이 지옥에 갈 놈들은

우주만물 전체 지성체(知性體)의
100분의 99니
아아! 이것은 비밀이다.
지성체 99%가 윤회의 기회를 부여해도
지옥에 갈 수 밖에 없는
숙명이니
이 곳 게헤나가 최종의 목적지다.
그리하여 하나님의 공의가
이곳에 임하리라!"
이때 은희가 너무 고통스러워
절규했다.
"어째서 사랑의 하나님이 이런 지옥을 만드셨나요?"
그 말과 함께
게헤나에 허락된 자매들의 시간이 끝나니
자매들은 환한 빛과 함께
그 천사소녀가 있는 꽃밭으로 오게 된다.
그 꽃밭에서는
자매들이나 그 천사소녀 모두 벌거벗었으니
천사소녀의 몸은 인간 여성의 벗은 몸으로는
감히 형용할 수 없을 정도로 아름다웠으나
야하거나 성적이지 않고, 고결하며 성스러웠다.
또한 향긋하고, 깨끗하며 단아한 꽃내음이
사방의 공간을 물들어간다.
자매는 그 천사소녀가 한때는 마리아였고,

또 한때는 우리들의 영원한 어머니라는 것을 깨닫는다.
자매들이 마리아에게 무릎을 꿇자
마리아는 서서히 공중에 떠오르며 말한다.
"이 세상에 기독교만이 진리가 아니다.
온 세상의 하나님은 모든 종교의 진리이시다.
나는 하나님에게 순종하고,
하나님을 사모하는 자이니
너희들의 어머니이다.
나의 사랑을 사모하고, 순종하는 자이니
내 아들 성자의 가르침을 따라라.
'네 이웃을 사랑하고, 하나님을 섬겨라.'
오직 성자의 가르침은 이것뿐이니
다른 가르침은 지배자들이
자신들의 지배를 위해
성자의 권위를 이용해 만든 거짓 진리다.
너희는 오직
'네 이웃을 사랑하고, 하나님을 섬겨라.'
라는 가르침만을 기억하라."
마리아께서 벌거벗으신 것은
궁극적인 아름다움을 피조물에게 보이시기 위해서이고,
아무것도 숨길게 없다는 것을 증명해주시기 위해서다.
"하나님의 공의와 심판을 기억하라.
이 가르침을 따르지 않는 자는
저 게헤나에서 영원한 고통을 받으리니

나 또한 너희들을 사랑하고, 자비롭게 구원하고 싶지만
하나님의 공의와 심판을 건드릴 수 없다.
나는 나의 사랑을 사모하고, 순종하는 자이니
하나님의 공의와 심판은
절대적인 것이다.
세상을 만드실 때 완벽하게 만드시지 않는 것은
너희가 스스로 완벽하기를 바라서이니
그리하여 하나님이 너희를 온전히 사랑하고,
너희가 하나님을 찬양하며
하나님의 온유(溫柔)와 무한한 사랑을
마음 속 깊은 곳에
간직하여 빛내기 위해서이다.
게헤나의 영원한 고통과 심판은
너희들이 이 바램을 저버렸다는 것이다.
마리아께서 공중에서 저 하얀 창공에 들어가니
그곳에는 영원한 빛이 있었다.
공중에 영원한 빛이 강림하자
꽃밭의 무수한 흰 꽃들이 찬양을 하는데
그 흰 꽃들은 한때는 천사들이고,
또 한때는 고귀한 자들이고,
또 한때는 핍박받은 자들이고,
지금은 구원받은 자들이다.
그 중에는 자매들의 부모님과
은희의 남편과 그 아이들,

연희의 자식도 있었다.

"기독교만이 진리가 아니다.

불교만이 진리가 아니다.

이슬람만이 진리가 아니다.

하나님은 모든 종교와 과학 위에 있으니

마리아는 하나님을 사모하고, 순종하는 자라

마리아께 경배를!

성자를 낳아 간단한 진리를 전파케 했으니

'네 이웃을 사랑하고, 하나님을 경배하라.'

화가 있을 진데

그 간단한 진리를 왜곡하고, 자기들 입맛에

법을 바꾼 자들이여.

게헤나의 영원한 형벌이 있을 것이다!

하나님이 이제 너의 눈물을 닦아 주리니

진정한 새로운 종교가 가까운 미래에

탄생하리라!

다시금 성자의 진리를 왜곡되지 않게

가르칠 새로운 종교가

동방에서 생길 것이다."

자매들 역시 그 영원한 빛에

숭고함과 경외, 경이를 온 몸으로 느끼니

그 영원한 빛에 대고 찬양한다.

"마리아께 경배를!

우리에게 하나님의 자비를 말씀하시네.

기독교만이 진리가 아니니
모든 사람들에게 공평한 기회가 부여됨이리라.
마리아께 경배를!
우리에게 성자의 가르침을 말씀하시네.
'네 이웃을 사랑하고, 하나님을 섬겨라.'
이 간단한 진리를
거짓 목사들과 성직자들이
자신들 유리한식으로 해석하고,
잘못 가르치네.
마리아께 경배를!
그 분은 하나님을 순종하고, 사모하는 자이니
우리 존재는 그 분의 젖가슴을 빨았고,
보살핌을 받은 적이 있었다.
분명 존재 중에는 성자의 가르침을 따르는 자가 있으나
따르지 않는 자들도 존재한다.
그들은 전부 게헤나의
영원한 고통과 사망에 빠지리니
마리아께 경배를!
모든 존재들의 어머니시여
다만 윤회 할 때는 이 진리를
우리가 깨닫게 하소서.
기독교만이 진리가 아니니
하나님은 모든 만물의 하나님이고,
모든 종교의 하나님

모든 존재의 하나님이시다.
마리아께 경배를!
우리도 그 분처럼 하나님을
순종하고, 사모하여야 하리니
무신론과 배금주의가 판치는 현대에
그런 진정한 사랑은
값비싼 다이아몬드와 같고,
결코 볼 수 없는 엘도라도와 같다."
자매들이 마리아께 경배를 드리고,
성자와 하나님에게도 경배를 드리니
자매들의 발가벗은 몸도 공중에 떠올랐다.
창공에는 자그마한 하지만 강렬한 영원한 빛이 있는데
바로 영원한 사랑이자 궁극의 진리다.

(완결)

글쓴이의 말

서사시 혹은 에픽은 메소포타미아 문명 때부터 등장하여 고대 그리스와 고대 중국으로 발현한 문학 장르로써 자연이나 사물의 창조, 영웅의 이야기, 신의 업적 등을 얘기하기 위한 이야기 시다.

제 1부는 자매들의 자살이야기부터 제 2부는 영혼이 빠져나간 뒤의 이야기를 그렸다.

과연 자매들은 다시금 이승에 부활 할 수 있었는지 아니면 새로운 육신을 갖고 태어날 수 있는지에 대해서는 독자의 상상에 맡기겠다.

하지만 기독교의 가르침이 목사와 성직자들에 의해 왜곡되고, 지배자들의 입맛에 종교가 각색되어 간다는 것은 사실이다.

제일 심각하게 생각하는 것은 종교가 무신론과 과학철학에 유심론적 입장에서 반격을 제대로 하지 않는다는 점이며 창조과학이니 뭐니 해서 계속 그들에게 웃음거리가 될 빌미를 제공한다는 점이다.

불교는 이 논의에 대해 범신론과 불가지론으로 스스로 치열한 논의에 빠졌으며 이제는 도구주의와 물질주의가 마치 진리인 것처럼 생각되는 세상이 왔다.

그 어느 종교도 진지하게 이 같은 논의에 대해 반박하거나 열성을 다하는 종교가 없다.

자신의 밥그릇만 뺏기지 않는다면 아무렇게나 좋다는 거다. 그러다가는 미래에 종교자체가 사라 질 수가 있다.

지금의 유럽, 미국의 반유신론, 유물주의 사조는 그 좋은 예이다.

언젠가 유튜브에서 한 여자가 피임약을 먹어가면서 남편의 아이는 낙태하고, 내연남의 아이는 임신한 사연의 영상이 있었다.

이런 악의는 그 여자 자체의 본성이 악한 것으로써 교육으로 사람을 변화 시킬 수 있다는 믿음을 깨뜨린다.

그러므로 인간의 본성 같은 문제는 과학으로 밝힐 수 있는 분야가 아니며 과학으로만 세상을 설명하는 건 외눈박이가 우주를 설명하는 거 같다. 물질과는 다른 어떤 형이상학적 영역이 있음을 우리는 인정해야 한다.

하지만 명이 있으면 암이 있으니 내가 "타이탄스카이라인"에서 얘기 했던 거 같이 새로운 종교가 생겨나리라는 예지를 느낀다.

인류의 마지막 종교이자 진정 무신론과 유신론의 전쟁을 끝낼 수 있는 진정한 종교가.